#기출문장
#반복훈련

처음 만나는
수능 구문

이 책을 쓰신 분들

홍정환 박주경 이승현
최영미 김민지 Enoch Chung

교재 검토에 도움을 주신 분들

강성옥 권기용 권예나 김대수 김도훈
김미영 김봉수 김순주 김재희 김정옥
김현미 남미지 손명진 송주영 신인숙
오택경 이명언 이민정 이서진 이용훈
이혜인 임해림 전미정 조운호 한지원

Chunjae
Maketh
Chunjae

▼

기획총괄	김성희
편집개발	김보영, 최윤정, 조원재, 이시현
디자인총괄	김희정
표지디자인	윤순미, 안채리
내지디자인	디자인뮤제오, 박희춘, 임용준
제작	황성진, 조규영

발행일	2020년 12월 1일 초판 2020년 12월 1일 1쇄
발행인	(주)천재교육
주소	서울시 금천구 가산로9길 54
신고번호	제2001-000018호
고객센터	1577-0902

기출문장으로 공략하는

처음 만나는 수능 구문

입문

Preview

01 준비 운동

- ### 목표 구문 한눈에 보기
  도식으로 단원의 목표 구문을 확인합니다.

- ### 필수 기출 어휘 다지기
  기출 문장 속 주요 어휘를 확인합니다. 막힘없이 문장을 읽어내려면 단어 학습은 필수입니다.
  ★ 초빈출 어휘는 꼭 외워두세요.

02 핵심 노트

- ### 대표 기출 문장
  단원의 대표 기출 문장을 확인합니다. 조각퍼즐 형태로 연결된 문장을 보며, 목표 구문의 문장 속 위치와 역할을 함께 점검합니다.

- ### 핵심 개념
  대표 기출 문장에 포함된 단원의 목표 구문과 핵심 개념을 익힙니다.

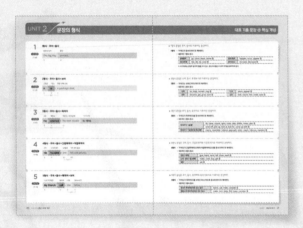

03 집중 훈련

- ### 개념 점검
  학습 포인트를 세부 유형별로 점검합니다.

- ### 구문 훈련
  대표 문장의 구조와 해석을 확인하고, 유사한 구조의 기출 문장을 반복 학습하며 실전 감각을 키웁니다.
  ★ 중요한 문장에 더욱 집중하세요.

- ### 문장구조 + 영작하기
  구조에 맞게 문장을 쓰며 내신 서술형 기초를 다집니다.

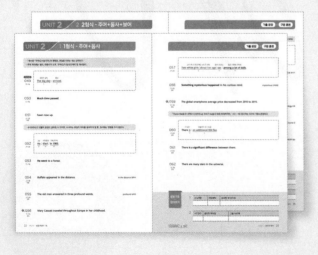

04 최종 점검

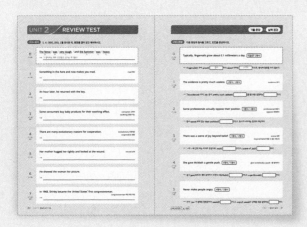

- **구조 + 해석**
  새로운 기출 문장을 분석하고 해석하며 단원을 정리합니다. 두 가지 이상의 구문이 섞인 난이도 높은 예문도 포함되어 있어서, 구문 실력을 한 단계 높일 수 있습니다.

- **구문 + 문법**
  문장의 오류를 수정하고, 구문+문법 풀이를 완성하며 구문을 완벽하게 이해했는지 최종 점검합니다.

05 구문분석노트

- **기출 문장 상세 분석**
  끊어 읽기와 직독직해를 통해 문장 구조를 점검하고, 구문과 관련된 정보를 확인합니다.

이 책에 사용된 기호

S	주어(= subject)	**to-v**	to부정사
V	동사(= verb)	**v-ing**	동명사 또는 현재분사
O	목적어(= object)	**p.p.**	과거분사(= past participle)
IO	간접목적어(= indirect object)	**/**	문장 성분 및 의미 단위 끊어 읽기
DO	직접목적어(= direct object)	**〈 〉**	긴 (수식)어구
C	보어(= complement)	**[ ]**	문장 속에 포함된 종속절
M	수식어(= modifier)	**[〈 〉]**	종속절 속 긴 (수식)어구 또는 종속절

Contents

Unit 6 동사의 수식어 역할

Part 4

문장 속 문장,
절의 역할

Unit 7 절의 주어, 목적어, 보어 역할

Unit 8 절의 수식어 역할

Part 5

색다른
문장구조

Unit 9 색다른 단어와 구

Unit 10 색다른 문장

① 수능 *vs.* 모의고사

1 수능과 모의고사는 어떤 시험인가요?

수능(대학수학능력시험)은 대학 교육에 필요한 학습 능력을 측정하는 시험으로 각 대학의 선발 지표가 되며, 고등학교 교육과정의 내용과 수준에 맞게 출제됩니다. 영어영역은 국어, 수학에 이어 70분간 치러지며 총 45문항이 출제되고, 100점 만점에 점수별 등급이 정해지는 절대평가입니다.

수능 영어영역	듣기 (문항 번호)	독해 (문항 번호)	총 문항 수 (시간)
	17문항 (1~17)	28문항 (18~45)	45문항 (70분)

등급	1	2	3	4	5	6	7	8	9
점수	90	80	70	60	50	40	30	20	20미만

교육청 모의고사(전국연합학력평가 – 시 · 도 교육청 주관)는 고등학생의 수능 시험 적응을 위해 실시하는 시험으로, 연 4회(1, 2학년 – 3월, 6월, 9월, 11월) 시행됩니다. 시험 형식은 수능과 유사하며, 각 학년별 수준에 맞는 내용으로 출제됩니다.

평가원 모의고사(수능모의평가 – 교육과정 평가원 주관)는 고등학교 3학년 학생들이 11월 수능 실전에 대비하기 위해 치르는 시험으로 연 2회(6월, 9월) 치르게 됩니다. 시험 유형과 난이도가 수능 시험과 가장 유사하게 출제되기 때문에 중요하게 생각하고 대비해야 합니다.

학년별 시험 구분		3월	6월	9월	11월
	1학년	교육청	교육청	교육청	교육청
	2학년	교육청	교육청	교육청	교육청
	3학년	교육청	평가원	평가원	수능

2 영어 독해는 어떻게 출제되나요?

독해 28문항(18번~45번)은 20개 유형이 골고루 출제되며, 문항 난이도에 따라 2점과 3점으로 출제됩니다. 2020년 9월 1학년 교육청 모의고사를 기준으로 유형별 문항 수를 살펴보면 다음과 같습니다.

*3점 문항

유형별 문항 수	목적	분위기	주장	*지칭	요지	주제	제목	도표	일치	안내문
	1	1	1	1	1	1	1	1	1	2
	*어법	어휘	*빈칸	연결어	글의 순서	*문장삽입	무관한 문장	요약문	*단일장문	복합문단
	1	1	4	0	2	2	1	1	1 (2문항)	1 (3문항)

지문 소재는 생활 속에서 벌어지는 일상적인 에피소드와 심리, 사회 · 문화, 자연 · 환경, 과학 · 의학, 교육 · 철학, 예술 · 스포츠와 같은 전문 분야의 소재들이 골고루 출제됩니다. 전문 분야의 소재들이 빈칸이나 요약문 등 비교적 어려운 유형과 접목될 때 난이도가 높아질 수 있으므로, 평소 다양한 분야에 관심을 가지고 배경지식을 쌓으면 도움이 됩니다.

1 고등학교 영어 공부의 핵심은 "구문"이다!

구문이란 '문장의 구성'을 뜻하고, 수많은 문법 규칙들 중에서도 자주 쓰이는 표현입니다. 따라서 구문을 공부하는 것은 문장의 구조를 큰 덩어리로 묶어서 파악하고, 올바른 해석을 연습하는 것입니다.

고등학교 영어는 중학교 영어보다 지문이 길어지고 문장의 구조도 복잡해집니다. 단순 암기 위주의 중학교 문법에서 벗어나서 문장을 보는 능력을 키우면, 복잡한 문장의 구조를 빠르게 파악하여 정확히 해석할 수 있고, 나아가 문단 전체 의미를 파악하는 지문 독해력도 키울 수 있습니다.

2 구문 학습 어떻게? — 재료는 "기출", 방법은 "반복"!

개념 설명에 최적화된 예문들은 구문을 이해하는 데 도움이 될 수는 있겠지만, 모의고사와 수능에서 마주할 문장과는 난이도에 큰 차이가 있습니다. 그러므로 실제 기출 지문의 문장들을 익혀두는 것이 중요합니다. 1학년 교육청 모의고사를 기준으로 가장 긴 문장을 살펴보면 다음과 같습니다.

> ... It/ **may be**/ **the respect** [I give every student], **the daily greeting** [I give at my
> 주어   동사   보어₁   ↳ 수식어(관계대명사절)   보어₂   ↳ 수식어(관계대명사절)
>
> classroom door], **the undivided attention** [when I listen to a student], **a pat on the**
>   보어₃   수식어(시간의 부사절)   보어₄
>
> **shoulder** [whether the job was done well or not],/ **an accepting smile**,/ or simply "I love
>   수식어(양보의 부사절)   보어₅   보어₆
>
> **you**" [when it is most needed]. ... [고1 6월]
>   수식어(시간의 부사절)
>
> → 그것(동기 부여)은 내가 모든 학생에게 하는 존중, 교실 문에서 하는 매일의 인사, 내가 학생의 말을 들을 때의 완전한 집중,
> 일을 잘 했든 못 했든 해주는 어깨 토닥임, 포용적인 미소, 혹은 가장 필요할 때의 그저 "사랑해"라는 말일 수도 있다.

이처럼 길고 복잡한 문장도 기본적인 구문이 모여서 만들어진 것입니다. 같은 구조의 여러 기출 문장을 반복해서 분석하고 해석하는 훈련을 통해 구문의 기초를 다지고 실전 감각도 익힐 수 있습니다.

「처음 만나는 수능 구문 Starter」는 고1 3, 6, 9월 모의고사 지문을 문장별로 나누어 분석한 뒤, 유사한 구조별로 분류하여 각 단원을 구성하였습니다. 기출 문장으로 「어휘 → 구문 훈련 → 문장 쓰기」의 학습 과정을 반복하며, 독해의 기본이 되는 문장구조를 익히고, 고등학교 영어 내신 서술형까지 대비할 수 있습니다.

1 단어와 품사

단어는 성격과 쓰임이 비슷한 것끼리 묶어 8개의 품사로 분류할 수 있고, 품사에 따라 문장 속 역할과 의미가 달라진다.

[고1 6월]

Positively or negatively, our parents and families are powerful influences on us.
부사　　접속사　　부사　　대명사　명사　접속사　명사　동사　형용사　　명사　전치사 대명사
→ 긍정적이든 부정적이든, 우리의 부모들과 가족들은 우리에게 강력한 영향을 미친다.

명사	사람, 동물, 사물, 장소 등의 이름을 나타내는 말 *e.g.* Amy, giraffe, cellphone, restaurant, …

대명사	명사를 대신하는 말 *e.g.* I, you, we, he, she, it, they, this, that

동사	사람, 동물, 사물 등의 동작이나 상태를 나타내는 말 *e.g.* be동사(am, is, are), 일반동사(eat, sleep, like, …), 조동사(will, can, may, …)

형용사	사람, 동물, 사물의 상태, 모양, 성질, 수량 등을 나타내는 말 *e.g.* old, colorful, large, warm, many, …

부사	장소, 방법, 시간, 정도 등을 나타내는 말 *e.g.* here, really, always, fortunately, very, …

전치사	명사나 대명사 앞에 위치하여 장소, 방향, 시간, 수단 등을 나타내는 말 *e.g.* at, in, to, over, about, by, for, of, …

접속사	단어와 단어, 구와 구, 절과 절을 이어주는 말 *e.g.* and, but, or, so, when, because, if, …

감탄사	놀람이나 기쁨, 슬픔 등의 감정을 나타내는 말 *e.g.* oh, ah, wow, oops, …

2 문장의 구성 요소

문장을 이루는 구성 요소에는 주어, 동사, 목적어, 보어, 수식어가 있다.

Something in the here and now makes you mad. [고1 3월]
주어　수식어　동사 목적어 보어
→ 현 시점의 무언가가 당신을 화나게 만든다.

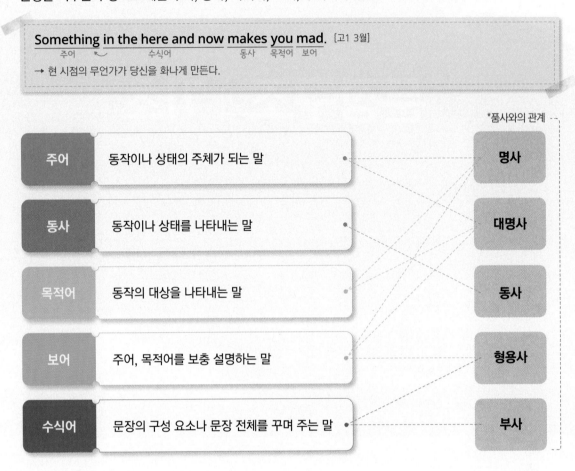

		*품사와의 관계
주어	동작이나 상태의 주체가 되는 말	명사
동사	동작이나 상태를 나타내는 말	대명사
목적어	동작의 대상을 나타내는 말	동사
보어	주어, 목적어를 보충 설명하는 말	형용사
수식어	문장의 구성 요소나 문장 전체를 꾸며 주는 말	부사

3 구와 절

두 개 이상의 단어가 모이면 구나 절이 된다.

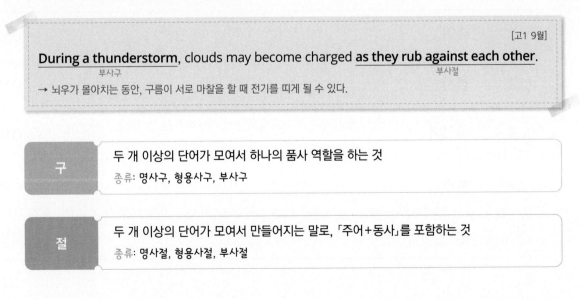

[고1 9월]

During a thunderstorm, clouds may become charged **as they rub against each other**.
부사구　　　　　　　　　　　　　　　　　　부사절
→ 뇌우가 몰아치는 동안, 구름이 서로 마찰을 할 때 전기를 띠게 될 수 있다.

구	두 개 이상의 단어가 모여서 하나의 품사 역할을 하는 것 종류: 명사구, 형용사구, 부사구
절	두 개 이상의 단어가 모여서 만들어지는 말로, 「주어+동사」를 포함하는 것 종류: 명사절, 형용사절, 부사절

PART 1

문장구조의 기초

UNIT 1 문장의 다섯 요소

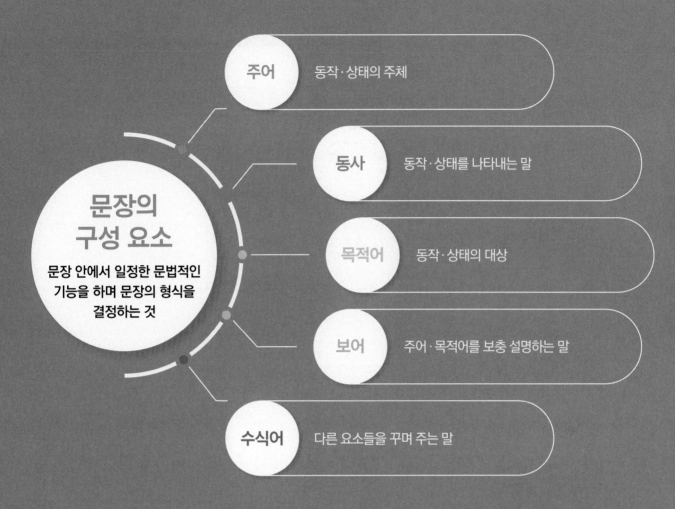

문장의 구성 요소
문장 안에서 일정한 문법적인 기능을 하며 문장의 형식을 결정하는 것

주어 동작·상태의 주체

동사 동작·상태를 나타내는 말

목적어 동작·상태의 대상

보어 주어·목적어를 보충 설명하는 말

수식어 다른 요소들을 꾸며 주는 말

UNIT 2 문장의 형식

- 주어(S)는 동작이나 상태의 주체가 되는 말로, '~은/는, ~이/가'로 해석한다.
- 주로 문장 맨 앞에 오며, 부사(구)가 먼저 나오는 경우나 의문문에서는 중간에 오기도 한다.
- 주어 자리에는 기본적으로 명사와 대명사가 온다.

001
고1 6월

그는   열었다   그의 지갑을
<u>He</u> / opened / his wallet.
S(대명사)

002
고1 9월

They avoid challenges.

avoid 피하다
challenge 도전

003
고1 6월

Amy nodded and stared.

nod (고개를) 끄덕이다
stare 쳐다보다

004
고1 9월
응용

Rain hits the windscreen.

windscreen (자동차) 앞 유리

005
고1 3월

Technology has doubtful advantages.

doubtful 의심스러운
advantage 이점

☆ **006**
고1 6월

Fawn and Sam were two happy people.

☆ **007**
고1 6월
응용

With a sigh of relief, **I** took my wallet.

a sigh of relief 안도의 한숨
take 받다

008
고1 6월
응용

One day, **one editor** recognized him.

editor 편집자
recognize 알아보다

- 동사(V)는 주어의 동작이나 상태를 나타내는 말로, '~이다/~하다'로 해석한다.
- 주로 주어 뒤에 오며, 주어의 인칭과 수(단수/복수)에 영향을 받아 형태가 달라진다.
- 동사는 크게 be동사(am/is/are, was/were)와 일반동사로 구분된다. LINK UNIT 3-3 ~ 3-4

009
고1 9월
응용

참가비는   ~이다 8달러   한 사람당
The participation fee / **is** / **$8** / **per person.**
S(3인칭 단수)   V

010
고1 9월
응용

I**'m** so proud of you.

011
고1 6월

Humans are champion long-distance runners.

champion 최고의
long-distance 장거리의

012
고1 6월
응용

We need your blessing and support.

blessing 승인
support 협조

013
고1 3월

Most dictionaries list names of famous people.

list 목록에 싣고 있다

☆ **014**
고1 9월

The answer lies in human nature.

lie in ~에 있다
nature 본성

015
고1 6월
응용

The museum hosts many new exhibits during the summer.

host 주최하다
exhibit 전시회

016
고1 3월
응용

The average grocery store carries over 10,000 items.

average 보통의
grocery store 식료품점
carry 취급하다

- 목적어(O)는 동사가 나타내는 동작의 대상을 나타내는 말로, '~을/를'로 해석한다.
- 주로 동사 뒤에 오고 주어와 다른 대상이며, 목적어 자리에는 기본적으로 명사와 대명사가 온다.
- 동사에 따라 '~에게'로 해석하는 간접목적어(IO)와 '~을/를'로 해석하는 직접목적어(DO) 두 개가 함께 오는 경우도 있다.
- 주어와 목적어가 같을 때, 목적어 자리에는 재귀대명사(-self/-selves: ~스스로, ~자신)가 온다.

017
고1 9월
응용

패스트 패션은　　훼손한다　　환경을
Fast fashion / hurts / the environment.
　　　　　　　　V　　　　O (명사)

018
고1 6월
응용

Compassion takes **practice**.

compassion 연민
take 필요로 하다

019
고1 6월

She wrote thirty six books.

☆**020**
고1 3월
응용

She gives Angela her bottle.

bottle 젖병

021
고1 6월
응용

He asked the man his name.

022
고1 9월
응용

I offered him some money.

offer 제안하다

☆**023**
고1 6월
응용

Young children express themselves creatively.

express 표현하다

024
고1 9월
응용

He launched himself into the air.

launch 내던지다, 쏘아 올리다

- 보어(C)는 주어나 목적어를 보충 설명하는 말로, 주격보어와 목적격보어가 있다.
- 주어를 보충 설명하는 주격보어는 동사 뒤에 오며, '(주어)는 ~이다/~하다'로 해석한다.
- 목적어를 보충 설명하는 목적격보어는 목적어 뒤에 오며, '(목적어)를 ~라고 하다/(목적어)가 ~하다'로 해석한다.
- 보어 자리에는 기본적으로 명사, 대명사, 형용사가 온다.

025
고1 9월
응용

세상은　　~이다　　재미있는 장소
The world / is / a funny place.
S　　　　　　　　C(명사)
━━━━━ (=) ━━━━━

026
고1 6월
응용

You are **an angel**!

027
고1 9월
응용

In 1958, he became staff at the *Philadelphia Evening Bulletin*.

staff 직원

☆028
고1 3월
응용

Water is essential to all life.

essential 필수적인

029
고1 3월

The rich man was very unkind and cruel to them.

cruel 잔인한

030
고1 6월
응용

Your actions seem robotic.

seem (~인 것처럼) 보인다
robotic 로봇 같은

☆031
고1 6월
응용

Newspaper headlines called the man a "spelling bee hero."

spelling bee 단어 철자 맞히기 대회

032
고1 9월
응용

Some people found the explanations inadequate.

explanation 설명
inadequate 불충분한

UNIT 1　5 수식어

- 수식어(M)는 단어나 문장을 꾸며 주어 의미를 더 풍부하게 해 주는 말이다.
- 수식어로는 기본적으로 형용사와 부사가 있고, 주로 수식하는 대상 앞이나 뒤에 온다.
- 형용사는 주어, 목적어, 보어로 쓰인 명사를 수식하고, '~의/~인/~한'으로 해석한다.

033
고1 9월
응용

> 위대한 예술가들은　　보낸다　　셀 수 없이 많은 시간을　　그들의 스튜디오에서
> **Great** artists / **spend** / **countless** hours / in their studios.
> M(형용사)↘S(명사)　　　　　M(형용사)↘O(명사)

034
고1 3월
응용

The **normal** robot shows **deterministic** behaviors.

deterministic 이미 정해진
behavior 행동

035
고1 3월
응용

The whole village got the news.

whole 모든
village 마을 사람들

036
고1 9월

Water is the ultimate commons.

ultimate 궁극적인
common 공유 자원

037
고1 3월

Vogel made a quick decision.

decision 결정

☆**038**
고1 3월
응용

The researchers created several apparent emergencies.

several 몇 가지의
apparent ~로 보이는
emergency 비상사태

☆**039**
고1 9월
응용

He developed his passion for photography.

★ 「전치사+명사(구)」 형태의 전치사구는 형용사처럼 쓰여 명사를 수식할 수 있다.

develop 키우다
passion 열정

040
고1 3월

Research with older children suggests similar findings.

suggest 시사하다
similar 비슷한
finding 결과

• 부사는 동사나 보어로 쓰인 형용사, 또는 다른 수식어(형용사, 부사)나 문장 전체를 수식하고, '~하게'로 해석한다.

041
고1 6월
응용

그는　　　배웠다　　　매우　　　빨리
He / learned 〈**pretty quickly**〉.
　　　　V　　　　　M(부사) ⌒ M(부사)

042
고1 3월
응용

Leonardo Da Vinci made his sketches **individually**.

individually 혼자서

043
고1 3월
응용

We often ignore small changes.

ignore 무시하다

044
고1 9월
응용

She lay quite still.

quite 아주
still 가만히 있는

045
고1 6월
응용

Unfortunately, such advertisements are quite typical.

unfortunately 불행하게도
typical 전형적인

☆ **046**
고1 6월

Music appeals powerfully to young children.

appeal 호소하다

047
고1 3월
응용

Suddenly I felt a prodding under the armpit.

prodding 쿡 찌르는 것
armpit 겨드랑이

★ 전치사구는 부사처럼 쓰여 동사를 수식하고 시간, 장소, 방법 등의 의미를 보완할 수 있다.

048
고1 6월

Not surprisingly, you walk on the court and drop the ball.

court 경기장

UNIT 2 문장의 형식

1형식

주어(S) + 동사(V)

2형식

주어(S) + 동사(V) + 보어(C)

(=)

3형식

주어(S) + 동사(V) + 목적어(O)

4형식

주어(S) + 동사(V) + 간접목적어(IO) + 직접목적어(DO)

(≠)

5형식

주어(S) + 동사(V) + 목적어(O) + 보어(C)

(=)

01	arrive	동	(때가) 오다	26	boundary	명	경계
02	appear*	동	나타나다; ~인 것 같다	27	pot	명	냄비
03	distance	명	먼 거리	28	balance	명	균형
04	profound	형	심오한	29	harmony	명	조화
05	throughout	전	전역에 걸쳐	30	come up with		~을 생각해내다
06	curious	형	호기심이 많은	31	reach*	동	~에 도달하다
07	average*	명	평균	32	peak	명	최고점
08	decrease*	동	하락하다	33	approach	동	~에게 다가오다
09	additional	형	추가의	34	female	형	암컷의 (↔male)
10	significant	형	중요한	35	resemble	동	~와 닮다
11	influence	명	영향력	36	hand	동	~을 건네주다
12	definite	형	확실한	37	hammer	명	망치
13	advantage	명	장점	38	nail	명	못; 손톱, 발톱
14	expectation*	명	예상한 일	39	local	형	(특정) 지역의
15	prevention	명	예방	40	climate	명	기후
16	central	형	중심에 있는	41	exhibition	명	전시회
17	mythology	명	신화	42	bring*	동	받게 하다
18	boundless	형	끝이 없는	43	international	형	국제적인
19	awkward	형	어색한	44	recognition	명	인정
20	homesick	형	고향을 몹시 그리워하는	45	consider*	동	(~으로) 여기다
21	dislike	동	싫어하다	46	enemy	명	적
22	audience*	명	청중; 독자층	47	none of		~중 어느 (것)도 …않다
23	assist	동	돕다	48	leave*	동	~을 (어떤 상태로) 두다
24	competitive	형	경쟁적인	49	unconcerned	형	무관심한
25	sharp	형	뚜렷한	50	stripe	명	줄무늬

UNIT 2 · 문장의 형식

1 1형식 – 주어＋동사

대표 문장
고1 6월

대망의 날이	왔다
The big day	arrived.
S	V

2 2형식 – 주어＋동사＋보어

대표 문장
고1 3월

그것은	~이다	묶음 판매 상품
It	is	a package deal.
S	V	C

(=)

3 3형식 – 주어＋동사＋목적어

대표 문장
고1 6월

그는	열었다	자신의 스튜디오를	1916년에
He	opened	his own studio	in 1916.
S	V	O	

(≠)

4 4형식 – 주어＋동사＋간접목적어＋직접목적어

대표 문장
고1 9월

그는	건네주었다	나에게	그의 핸드폰을
He	handed	me	his cell phone.
S	V	IO	DO

(≠)

5 5형식 – 주어＋동사＋목적어＋보어

대표 문장
고1 6월

나의 친구들은	부른다	나를	Mina라고
My friends	call	me	Mina.
S	V	O	C

(=)

▶ 1형식 문장은 주어, 동사로 이루어진 문장이다.

1형식 · '주어(S)가 동사(V)하다'로 해석한다.
· 대표적인 1형식 동사

왕래발착	go, come, leave, arrive 등	발생/종료	happen, occur, appear 등
생사/존재	live, die, be, exist 등	증가/감소	increase, decrease 등

★ 수식어(M)는 문장의 형식에 영향을 주지 않고, 문장 요소들을 수식하여 의미를 풍부하게 해 준다.

▶ 2형식 문장은 주어, 동사, 주격보어로 이루어진 문장이다.

2형식 · '주어(S)는 보어(C)이다/하다'로 해석한다.
· 대표적인 2형식 동사

상태	be, keep, remain, stay 등	인식	seem, appear 등
변화	become, get, grow, turn 등	감각	look, sound, feel, smell, taste 등

▶ 3형식 문장은 주어, 동사, 목적어로 이루어진 문장이다.

3형식 · '주어(S)가 목적어(O)를 동사(V)하다'로 해석한다.
· 대표적인 3형식 동사

목적어가 '~을/를'	do, have, repeat, open, make, take, dislike, mean, plan 등
	send off, pick up, look at, look for, come up with 등
목적어가 '~와/에(게)/에 관해'	marry, resemble / attend, approach, enter, reach / discuss, mention 등

▶ 4형식 문장은 주어, 동사, 간접목적어와 직접목적어로 이루어진 문장이다.

4형식 · '주어(S)가 간접목적어(IO)에게 직접목적어(DO)를 동사(V)하다'로 해석한다.
· 대표적인 4형식 동사

전달 (~에게)	give, hand, send, tell, show, teach 등
노력·정성 (~을 위해)	make, cook, buy, get 등
질문	ask 등

▶ 5형식 문장은 주어, 동사, 목적어와 목적격보어로 이루어진 문장이다.

5형식 · '주어(S)가 목적어(O)를 보어(C)라고/하도록 동사(V)하다'로 해석한다.
· 대표적인 5형식 동사

명사가 목적격보어로 오는 동사	name, call, make, consider 등
형용사가 목적격보어로 오는 동사	make, turn, keep, find, leave, consider 등

- 1형식은 「주어(S)+동사(V)」의 형태로, 문장을 이루는 최소 단위이다.
- 주어 자리에는 명사, 대명사가 오며, '주어(S)가 동사(V)하다'로 해석한다.

대표 문장

049
고1 6월

대망의 날이   왔다
The big day / **arrived**.
　　S　　　　　V

050
고1 9월

Much time passed.

051
고1 6월
응용

Fawn rose up.

- 수식어(M)가 덧붙어 문장이 길어질 수 있지만, 수식어는 문장의 의미를 풍부하게 할 뿐, 형식에는 영향을 주지 않는다.

052
고1 6월

그는   사망했다   1983년에
He / **died** / **in 1983**.
　S　　　V　　　M

053
고1 3월

He went to a forest.

054
고1 9월
응용

Buffalo appeared in the distance.   in the distance 멀리서

055
고1 6월
응용

The old man answered in three profound words.   profound 심오한

☆ **056**
고1 9월
응용

Mary Cassatt traveled throughout Europe in her childhood.

057
고1 3월

그녀 나이 또래의 백인 소녀 두 명이   앉아 있었다   많은 인형들 사이에
<u>Two white girls</u> 〈about her age〉 <u>sat</u> / <u>among a lot of dolls</u>.
      S   V   M

058
고1 6월
응용

Something mysterious happened in his curious mind.

mysterious 신비로운

☆**059**
고1 6월
응용

The global smartphone average price decreased from 2010 to 2015.

• 「There+be동사+주어(+수식어구)」는 주어가 be동사 뒤에 위치하지만, '~이 (…에) 있다'라는 의미의 1형식 문장이다.

060
고1 9월
응용

~이 있다   50달러의 추가 비용
There is / **an additional $50 fee**.
     V   S

061
고1 6월
응용

There **is a significant difference** between them.

062
고1 3월
응용

There are many stars in the universe.

문장구조
+
영작하기

1	그 노인은	대답했다	심오한 세 단어로

2	~이 있다	중요한 차이점	그들 사이에

- 「주어(S)+동사(V)」에 주어(S)를 보충 설명하는 보어(C)가 추가된 형태이다.
- 보어 자리에 명사, 대명사 또는 「명사+수식어」 형태의 명사구가 오면, '주어(S)는 보어(C)이다'로 해석한다. (S=C)

대표 문장
063
고1 3월

그것은 ~이다   묶음 판매 상품
It / is / a package deal.
S   V   C(명사)
└─── (=) ───┘

064
고1 6월

Nauru is **an island country** in the southwestern Pacific Ocean.

southwestern 남서부 지방의
Pacific Ocean 태평양

065
고1 6월
응용

Our parents and families are powerful influences on us.

066
고1 9월

He was the champion.

067
고1 3월

It was the eye of a big dolphin.

068
고1 6월
응용

Emoticons were a definite advantage in non-verbal communication.

non-verbal 비언어적인

069
고1 3월
응용

It becomes an expectation.

070
고1 3월
응용

In 1930, she became the first female flight attendant in the U.S.

flight attendant 비행기 승무원

• 보어 자리에 형용사나 「형용사+수식어」 형태의 형용사구가 오면, '주어(S)는 보어(C)하다'로 해석한다. (주어의 성질·상태=보어)

071
고1 6월
응용

나이테는 　~해진다　 폭이 더 넓은　 온화하고 습한 해에
Tree rings / grow / wider / in warm, wet years.
　　S　　　　V　　C(형용사)　　　　　M

072
고1 9월
응용

The battery indicator light turns **blue**.

indicator (신호) 표시기

073
고1 9월
응용

Exercise is great for prevention.

074
고1 3월
응용

Plants and animals are central to mythology.

mythology 신화

075
고1 9월
응용

Once, watercourses seemed boundless.

watercourse 강

076
고1 6월
응용

It appears awkward and out of place.

out of place 상황에 맞지 않는

077
고1 6월

I felt alone and homesick.

1	그것은	~이었다	눈	큰 돌고래의

2	배터리 표시등이		변한다	파란색으로

- 「주어(S)+동사(V)」에 동작의 대상인 목적어(O)가 추가된 형태이다.
- 목적어 자리에는 명사(구), 대명사가 올 수 있고, '주어(S)가 목적어(O)를 동사(V)하다'로 해석한다.
- 3형식 문장에서 목적어는 주어와 다른 대상(S≠O)이고, 동일한 대상(S=O)일 때는 재귀대명사가 온다.

대표 문장

078
고1 6월

그는　　열었다　　그의 스튜디오를　　1916년에
He / opened / his own studio / in 1916.
　S　　 V　　　　　O　　　　　　M
　└────── (≠) ──────┘

079
고1 3월
응용

In Britain many people dislike **rodents**.

rodent 설치 동물(쥐·다람쥐 등)

080
고1 6월
응용

We have an online shop for books.

081
고1 3월
응용

Audience feedback assists the speaker in many ways.

speaker 연사

082
고1 3월
응용

Under competitive conditions, the boys drew sharp group boundaries.

- 둘 이상의 단어가 동사구를 이루어 목적어를 수반하기도 한다.

083
고1 3월
응용

그는　　보냈다　　두 통의 훈훈한 편지를　　그 소년들에게
He / sent off / two warm letters / to the boys.
　S　　 V　　　　　　O　　　　　　　M

084
고1 3월
응용

She picked up **the pot's lid**.

lid 뚜껑

085
고1 9월
응용

The students looked at their teacher.

086
고1 9월
응용

We look for balance and harmony in our lives.

087
고1 6월
응용

He came up with a bright idea.

bright 멋진

• 동사에 따라 목적어가 '~와/에(게)/에 관해'로 해석되는 경우도 있는데, 목적어 앞에 전치사가 필요한 것으로 착각하지 않아야 한다.

088
고1 6월

인도의 스마트폰 평균 가격은   도달했다   최고점에   2011년에
The smartphone average price ⟨in India⟩ reached / its peak / in 2011.
           S   V   O   M

089
고1 6월
응용

The man from the car behind **approached** us.

090
고1 3월
응용

The largest female chuckwallas resemble males.

chuckwalla 척왈라 (도마뱀의 일종)

문장구조 + 영작하기

1	청중의 피드백은	도와준다	연사를	여러모로

2	그는	생각해냈다	멋진 생각을

- 「주어(S)+동사(V)+목적어(O)」에서 동사(V)와 목적어(O) 사이에 또 다른 목적어(O)가 추가된 형태이다.
- 두 목적어는 다른 대상을 나타내며, 각각 간접목적어(IO)와 직접목적어(DO)로 구별한다. (IO ≠ DO)
- 보통 간접목적어는 사람, 직접목적어는 사물이며, '주어(S)가 간접목적어(IO)에게 직접목적어(DO)를 동사(V)하다'로 해석한다.

대표 문장

091
고1 9월

그는   건네주었다   나에게   그의 핸드폰을
He / handed / me / his cell phone.
S   V   IO   DO
                   └── (≠) ──┘

092
고1 3월
응용

I showed **him the phone**.

093
고1 9월
응용

He gave his son a hammer and a bag of nails.

094
고1 6월
응용

Trees give scientists some information about that area's local climate.

095
고1 6월
응용

In 1969, the exhibition brought him international recognition.

096
고1 9월

Two and a half years later, he asked them the same question.

문장구조 + 영작하기

1

그는	주었다	그의 아들에게	망치 하나와 못들이 든 가방 하나를

2

2년 반 후,		그는	물어보았다	그들에게	같은 문제를

- 「주어(S)+동사(V)+목적어(O)」에 목적어(O)를 보충 설명하는 보어(C)가 추가된 형태이다.
- 보어 자리에 명사, 대명사가 오면, '주어(S)가 목적어(O)를 보어(C)라고 동사(V)하다'로 해석한다.
- 5형식 문장에서 동사 뒤의 명사 두 개는 동일한 대상(O=C)이고, 4형식 문장에서는 다른 대상(IO≠DO)이다.

대표 문장

097
고1 6월

내 친구들은　　부른다　나를　Mina라고
My friends / call / me / Mina.
S　　　　　 V　　 O　 C(명사)
　　　　　　　　　 └ (=) ┘

098
고1 3월

Soon, each group considered **the other an enemy**.

- 보어 자리에 형용사가 오면, '주어(S)가 목적어(O)를 보어(C)하도록/하게 동사(V)하다'로 해석한다. (목적어의 성질·상태=보어)

099
고1 6월

그녀의 책들 중 어느 것도　　 두지 않는다　　독자를　　　무관심하도록
None of her books / leaves / the reader / unconcerned.
S　　　　　　　　 V　　　　　 O　　　　　 C(형용사)
　　　　　　　　　　　　　　　 └────────┘

100
고1 6월
응용

Stripes don't keep **zebras cool**.

문장구조 + 영작하기

1

곧,	각 그룹은	여겼다	서로를	적으로

2

줄무늬는	유지시켜 주지 않는다	얼룩말들을	시원하게

구조+해석 S, V, O(IO, DO), C를 표시한 뒤, 문장을 끊어 읽고 해석하시오.

0
고1 9월

The fence / was / very tough, / and the hammer / was / heavy.
 S₁   V₁   C₁   S₂   V₂   C₂

→ 그 울타리는 매우 단단했고, 망치는 무거웠다.

1
고1 3월

Something in the here and now makes you mad.   mad 화난

→ _____

2
고1 9월

An hour later, he returned with the key.

→ _____

3
고1 3월
응용

Some consumers buy baby products for their soothing effect.   consumer 소비자
                                                                soothing 진정시키는

→ _____

4
고1 3월
응용

There are many evolutionary reasons for cooperation.   evolutionary 진화적인
                                                               cooperation 협동

→ _____

5
고1 3월

Her mother hugged her tightly and looked at the wound.   wound 상처

→ _____

6
고1 9월

He showed the woman her picture.

→ _____

7
고1 3월
응용

In 1968, Shirley became the United States' first congresswoman.
                                          congresswoman 여성 하원 의원
→ _____

구문+문법 다음 문장의 형식을 고르고, 빈칸을 완성하시오.

0
고1 9월
응용

Typically, fingernails grow about 0.1 millimeters a day. [1형식]/ 2형식

→ fingernails는 주어, grow는 [동사] 이다. about 이하는 [수식어] 이므로, 형식에 영향을 주지 않는다.

1
고1 6월
응용

The evidence is pretty much useless. [2형식 / 3형식]   evidence 증거

→ The evidence는 주어, is는 동사, pretty much useless는 [   ](을)를 보충 설명하는 [   ]이다.

2
고1 3월

Some professionals actually oppose their position. [3형식 / 4형식]   professional 전문가
oppose 반대하다

→ 동사 oppose 뒤에 있는 their position은 [   ](이)고, 동사가 나타내는 동작의 대상이다.

3
고1 9월
응용

There was a scene of joy beyond belief. [1형식 / 2형식]   scene 장면
beyond belief 믿을 수 없는 정도의

→ '~이 …에 있다' 라는 의미의 문장으로, was는 [   ](이)고 a scene of joy는 [   ]이다.

4
고1 3월
응용

She gave McMath a gentle push. [4형식 / 5형식]   give somebody a push ~를 밀어주다

→ 동사 gave 뒤에 두 개의 목적어가 쓰였다. McMath는 [   ](이)고, a gentle push는 [   ]이다.

5
고1 6월
응용

Never make people angry. [4형식 / 5형식]

→ 주어 'you' 가 생략된 명령문이다. people은 [   ](이)고, angry는 people의 상태를 보충 설명하는 [   ]이다.

PART 2

✈

문장구조의 핵심,
동사

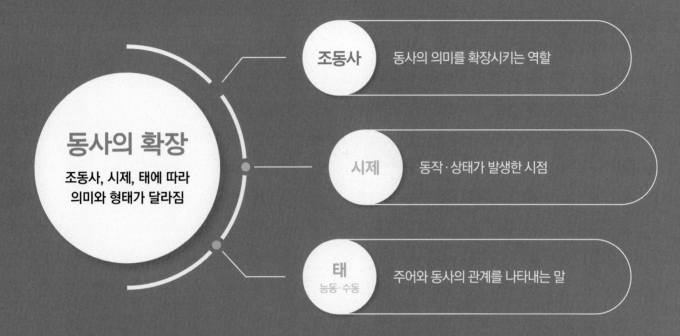

조동사   동사의 의미를 확장시키는 역할

동사의 확장
조동사, 시제, 태에 따라
의미와 형태가 달라짐

시제   동작·상태가 발생한 시점

태
능동·수동   주어와 동사의 관계를 나타내는 말

UNIT 4   동사의 다양한 형태

UNIT 3 동사의 종류

조동사

주어	+	조동사	+	동사(원형)
		can/could		
		may/might		
		must[have to]		
		should		

be동사

주어	+	be동사
		am/is/are
		was/were
		will be

일반동사

주어	+	일반동사
		동사원형/동사원형+(e)s
		동사원형+(e)d/불규칙 과거형
		will+동사원형

필수 기출 어휘 다지기

01	familiarity	명	친숙함	26	assumption	명	추측

No.	Word	POS	Meaning	No.	Word	POS	Meaning
01	familiarity	명	친숙함	26	assumption	명	추측
02	lead to★		(어떤 결과로) 이어지다	27	fascinating	형	흥미로운
03	improve★	동	향상시키다	28	human race		인류
04	currently	부	현재	29	not always		항상 ~인 것은 아닌
05	added	형	추가된	30	obvious	형	명확한
06	cause★	동	야기하다	31	reliable	형	믿을 만한
07	release	명	분비	32	in control of		~을 통제하고 있는
08	chemical	명	화학 물질	33	sailor	명	선원
09	extra	형	추가적인	34	hunger	명	배고픔
10	cost	동	(~에게 비용을) 들게 하다	35	alive	형	살아 있는
11	provide★	동	제공하다	36	anatomy	명	해부학
12	sign up (for)		(~에) 등록하다	37	collaboration	명	공동 작업
13	in advance		미리	38	saint	명	성인, 성자
14	train	동	연습하다	39	marsh	명	늪
15	exactly★	부	꼭, 정확히	40	herd	명	무리, 떼
16	alike	형	비슷한	41	rely on		의존하다
17	clothing	명	의류	42	feather	명	털, 깃털
18	invent	동	발명하다	43	reach out to		~에게 관심을 보이다
19	prepare	동	준비하다	44	lesson	명	교훈
20	beforehand	부	미리, 사전에	45	materials	명	(건축) 자재
21	encourage★	동	장려하다	46	effort★	명	노력, 수고
22	include★	동	포함하다	47	subscription	명	구독 기간
23	investor	명	투자가	48	certificate	명	증명서
24	short-term	형	단기의(↔ long-term)	49	entry	명	참가
25	loss	명	손실	50	regardless of		~에 상관없이

UNIT 3 동사의 종류

1 조동사 ①

대표 문장 고1 3월 응용

그 여정은	걸릴 수 있다	수천 년이
That trip	can take	thousands of years.

V (조동사+동사원형)

대표 문장 고1 3월

덤으로	당신은	배울지도 모른다	무엇인가를
As an added bonus,	you	might learn	something!

V (조동사+동사원형)

2 조동사 ②

대표 문장 고1 6월 응용

도서관은	제공해야 한다	조용함을	공부와 독서를 위해
Libraries	must provide	quietness	for study and reading.

V (조동사+동사원형)

대표 문장 고1 3월 응용

참가자들은	준비해야 한다	그들의 요리를	미리
Participants	should prepare	their dishes	beforehand.

V (조동사+동사원형)

3 be동사

대표 문장 고1 9월 응용

세상은	~이다	신비하고 흥미로운 장소
The world	is	a mysterious and fascinating place.

V (현재)

대표 문장 고1 3월 응용

그 산책길은	~일 것이다	더 흥미로운
The walk	will be	more interesting.

V (미래)

4 일반동사

대표 문장 고1 6월 응용

뇌는	사용한다	우리의 에너지의 20 퍼센트를
The brain	uses	20 percent of our energy.

V (현재)

대표 문장 고1 3월 응용

Mary는	들어갔다	장난감 집으로
Mary	went	into the playhouse.

V (과거)

▶ 조동사 can, may 등은 동사 앞에 쓰여 능력, 허가 등의 의미를 나타낸다.

조동사
- 「조동사+동사원형」의 형태로 동사에 특정한 의미를 더해 주며, 단독으로 쓰지 않는다.
- 기본적으로 '가능성·추측'의 의미를 나타내며, 그밖에 다양한 뜻으로 쓰인다.

can/ could	능력·가능	~할 수 있다 (= be able to)	may/ might	허가	~해도 된다
	허가	~해도 된다 (= may)		부탁	~해도 될까요? (의문문)
	부탁·요청	~해도 될까요? (의문문)		약한 추측	~일지도[할지도] 모른다
	가능성·추측	~일 수 있다			

★ 부정문은 「주어+조동사+not+동사원형 ~」, 의문문은 「조동사+주어+동사원형 ~?」으로 나타낸다.

▶ 조동사 must, should 등은 동사 앞에 쓰여 의무, 충고 등의 의미를 나타낸다.

must	의무·필요	~해야 한다 (= have[has] to)	should	의무	~해야 한다
	강한 금지	~해서는 안 된다		제안·충고	~하는 것이 좋다
	강한 추측	~임에 틀림없다		금지	~해서는 안 된다

★ have[has] to의 부정형 don't[doesn't] have to는 '~할 필요가 없다'라는 불필요를 나타낸다.

▶ be동사는 주어의 상태나 특징을 나타낸다.

be동사
- 동사의 한 종류로, am/is/are와 was/were가 있다.
- 주어의 인칭과 수에 따라 짝을 맞춰 쓰고, 시제(현재/과거/미래)에 따라 형태가 달라진다.

주어	현재형(~이다/~하다)	과거형(~이었다/~했다)	미래형(~일 것이다/~할 것이다)
I	am	was	
He/She/It, 3인칭 단수	is		will be
You/We/They, 복수	are	were	

★ 부정문은 「주어+be동사+not ~」/will not[won't] be, 의문문은 「Be동사+주어 ~?」/「Will+주어+be동사 ~?」로 나타낸다.

▶ 일반동사는 주어의 동작이나 상태를 나타낸다.

일반동사
- be동사와 조동사를 제외한 모든 동사로, 동사마다 고유한 뜻을 가지고 있어 해석이 다양하다.
- 주어와 시제(현재/과거/미래)에 따라 형태가 달라진다.

주어	현재형	과거형	미래형
I/You/We/They, 복수	동사원형	동사원형+(e)d/ 불규칙 과거형	will+동사원형
He/She/It, 3인칭 단수	동사원형+(e)s		

★ 부정문은 「주어+do[does]/did+not+동사원형 ~」/「will not[won't]+동사원형」으로 나타낸다.
　의문문은 「Do[Does]/Did+주어+동사원형 ~?」/「Will+주어+동사원형 ~?」으로 나타낸다.

- can은 '~일 수 있다(가능성·추측), ~할 수 있다(능력·가능), ~해도 된다(허가)' 등으로 해석한다.
- can은 능력·가능을 나타낼 때 be able to로, 허가를 나타낼 때 may로 바꿔 쓸 수 있다.
- can의 부정형은 cannot[can't]이고, '~일 리가 없다(강한 추측)'의 의미로도 쓰인다.
- could는 can의 과거형으로도 쓰이고, can보다 정중한 부탁 또는 추측의 의미로도 쓰인다.

대표 문장
101
고1 3월
응용

그 여정은 　　　걸릴 수 있다 　　　수천 년이
That trip / can take / thousands of years.
　　　　　　 V(조동사+동사원형)

102
고1 6월
응용

In fact, familiarity **can** often lead to errors on multiple-choice exams.

multiple-choice 선다형의

103
고1 6월

We can do science, and with it we can improve our lives.

improve 향상시키다

104
고1 6월

Currently, we cannot send humans to other planets.

planet 행성

105
고1 6월
응용

Babies can't even sit up on their own.

on one's own 혼자

☆**106**
고1 3월
응용

No one could read it.

107
고1 3월

Shaun could not find the words.

108
고1 9월
응용

Plumb couldn't sleep that night.

- may는 '~일지도[할지도] 모른다(약한 추측), ~해도 된다(허가)' 등으로 해석한다.
- may의 부정형은 may not이다.
- might는 may의 과거형으로도 쓰이고, may보다 약한 추측의 의미로도 쓰인다.

대표 문장
109
고1 3월

덤으로,　　　당신은　배울지도 모른다　무엇인가를
As an added bonus, / you / <u>might learn</u> / something!
　　　　　　　　　　　V (조동사+동사원형)

110
고1 9월
응용

It **might** spoil in the hot weather.　　　　　　　　　spoil (음식이) 상하다

111
고1 6월
응용

This **may** cause a release of chemicals in the body.　　　release 분비

112
고1 6월
응용

Someone **may** earn extra money for a new smartphone.

☆**113**
고1 9월
응용

Fast fashion items **may not** cost you much at the cash register.　　cash register 계산대

문장구조 + 영작하기

1

Shaun은	찾을 수가 없었다	할 말을

2

이것은	야기할지도 모른다	화학 물질의 분비를	체내에

- must는 '~해야 한다(의무), ~임에 틀림없다(강한 추측)'로 해석한다.
- 강한 의무를 나타낼 때, must는 have[has] to로 바꿔 쓸 수 있다.
- must의 부정형 must not은 '~해서는 안 된다(강한 금지)'로 해석하는 반면, have[has] to의 부정형 don't[doesn't] have to는 '~할 필요가 없다(불필요)'로 해석한다.

대표 문장
114
고1 6월
응용

도서관은   제공해야 한다   조용함을   공부와 독서를 위해
Libraries / **must provide** / quietness / for study and reading.
              V(조동사+동사원형)

115
고1 6월
응용

Students **must** sign up for our program in advance through our website.

☆**116**
고1 6월
응용

You **must** be an angel!

117
고1 6월
응용

You have to train yourself.

118
고1 3월
응용

Friends don't have to be exactly alike.

119
고1 3월
응용

Clothing doesn't have to be expensive.

☆**120**
고1 3월
응용

Sir Isaac Newton had to invent a new branch of mathematics.

branch (지식의) 분야
mathematics 수학

★ must, have[has] to의 과거형은 had to로 나타낸다.

- should는 '~해야 한다(의무), ~하는 것이 좋다(제안·충고)'로 해석한다.
- 의무를 나타낼 때, should는 must보다 약한 의미이고, ought to로 바꿔 쓸 수 있다.
- should의 부정형 should not[shouldn't]은 '~해서는 안 된다(금지)'로 해석한다.

대표 문장
121
고1 3월
응용

참가자들은　　준비해야 한다　　그들의 요리를　　미리
Participants / **should prepare** / their dishes / beforehand.
　　　　　　　V(조동사+동사원형)

122
고1 6월
응용

We **should** strongly encourage children's language play.

123
고1 3월

Your selfie should include a visit to any science museum or a science activity at home.

124
고1 6월
응용

As investors, we should not focus on short-term losses.

☆125
고1 9월
응용

You should never make such assumptions right away.

★ never는 not보다 부정의 의미를 더 강조할 때 사용한다.

문장구조 + 영작하기

1

학생들은	등록해야 한다	우리 프로그램에	미리	우리 웹사이트를 통해

2

투자가로서,	우리는	집중해서는 안 된다	단기 손실에

- be동사는 주어의 상태나 특징을 나타내고, 주어와 시제에 따라 형태가 달라진다.
- be동사의 현재형은 주어에 따라 am/is/are를 쓰고, '~이다/~하다'로 해석한다.
- 부정문은 「주어+be동사+not ~」, 의문문은 「Be동사+주어 ~?」로 나타낸다.

대표 문장

126
고1 9월
응용

세상은　　　~이다　　　　　　　신비하고 흥미로운 장소
The world / is / a mysterious and fascinating place.
　　　　　 V(현재)

127
고1 3월
응용

In life, too much of anything **is not** good for you.

128
고1 6월
응용

We are members of the human race.

☆**129**
고1 6월

The colors' roles aren't always obvious.

130
고1 6월

Are the sources of information reliable?

131
고1 9월
응용

I'm not in control of anything.

- be동사의 과거형은 주어에 따라 was/were를 쓰고, '~이었다/~했다'로 해석한다.

132
고1 9월
응용

나는 ~이었다　　선원　　　 Kitty Hawk호의
I / was / a sailor / on the Kitty Hawk.
　 V(과거)

133
고1 3월
응용

Hunger **wasn't** the only problem in this area.

☆**134**
고1 9월
응용

Dinosaurs were different from anything alive today.

different from ~와 다른

135
고1 3월
응용

His sketches of human anatomy were a collaboration with Marcantonio della Torre.

- be동사의 미래형은 주어와 상관없이 will be로 쓰고, '~일 것이다/~할 것이다'로 해석한다.
- 부정문은 will not[won't] be, 의문문은 「Will+주어+be동사 ~?」로 나타낸다.

대표 문장
136
고1 3월
응용

그 산책길은　~일 것이다　　더 흥미로운
The walk / will be / more interesting.
　　　　　 V (미래)
★ will은 '~일 것이다'라는 미래의 의미를 나타내는 조동사이다.

137
고1 3월
응용

The opening celebration **will be** from 9 a.m. to 9 p.m.

celebration 기념행사

138
고1 9월

The fence will never be the same.

fence 울타리

1

우리는	~이다	구성원들	인류의

2

개업 행사는		~일 것이다	오전 9시부터 오후 9시까지

UNIT 3 / 4 일반동사

대표 문장
139
고1 6월
응용

뇌는 　　　사용한다　　　우리의 에너지의 20 퍼센트를
The brain / uses / 20 percent of our energy.
　　　　　　V(현재)

140
고1 3월
응용

In the original, the saint **meets** a frog in a marsh.

original 원작

141
고1 6월
응용

Our herd behavior determines our decision-making.

decision-making 의사 결정

☆**142**
고1 3월
응용

The toaster has a year's warranty.

★ have는 주어가 3인칭 단수일 때 has로 쓴다.

warranty 품질 보증 기간

143
고1 9월
응용

The feathers on a snowy owl's face guide sounds to its ears.

snowy owl 흰올빼미

144
고1 9월
응용

Every day, you rely on many people.

☆**145**
고1 3월
응용

The Amondawa tribe does not have a concept of time.

tribe 부족

146
고1 3월

In general, Asians do not reach out to strangers.

stranger 낯선 사람

- 일반동사의 과거형은 「동사원형+(e)d」 또는 불규칙 과거형으로 나타낸다.

대표 문장
147
고1 3월
응용

Mary는　들어갔다　　　　장난감 집으로
Mary / went / into the playhouse.
　　　　V (과거)

148
고1 3월
응용

I **learned** a big lesson today.

☆**149**
고1 6월
응용

He used poor materials and didn't put much effort into his last work.

work 작업

- 일반동사의 미래형은 「will+동사원형」으로 나타낸다.
- 부정문은 「will not[won't]+동사원형」, 의문문은 「Will+주어+동사원형 ~?」으로 나타낸다.

150
고1 6월
응용

당신의 Winston Magazine 구독 기간이　　　　만료될 것이다　곧
Your subscription to *Winston Magazine* / will end / soon.
　　　　　　　　　　　　　　　　　V (미래)

151
고1 3월

Every participant **will receive** a certificate for entry!

152
고1 6월

The programs will run regardless of weather conditions.

regardless of ~에 상관없이

문장구조 + 영작하기

1

털들은	흰올빼미 얼굴에 있는	인도한다	소리들을	그것의 귀들로

2

나는	배웠다	큰 교훈을	오늘

구조+해석 동사를 찾아 시제를 표시한 뒤, 문장을 끊어 읽고 해석하시오.

0
고1 3월
응용

Her two sons / were / away at college / and rarely responded / to her letters.
V₁(과거)   V₂(과거)   rarely 좀처럼 ~ 않는

→ 그녀의 두 아들은 집을 떠나 대학을 다녔고 좀처럼 그녀의 편지에 답장을 하지 않았다.

1
고1 6월
응용

Effective change does not have to be time-consuming.

effective 효과적인
time-consuming 많은 시간이 걸리는

→ _____

2
고1 6월

You can buy conditions for happiness, but you can't buy happiness.

condition 조건

→ _____

3
고1 9월
응용

We will accept only one photo of you.

accept 받다

→ _____

4
고1 9월
응용

Adults and children may live in the same world, but reality for a child is vastly different.

vastly 매우

→ _____

5
고1 9월
응용

The number of nails gradually decreased.

gradually 점점
decrease 줄어들다

→ _____

6
고1 3월

Your future is not your past and you have a better future.

→ _____

7
고1 9월
응용

We should not underestimate the old.

underestimate 과소평가하다

→ _____

구문+문법 다음 문장에서 틀린 곳을 찾아 바르게 고치고, 빈칸을 완성하시오.

0
고1 3월

receive
Every participant will ~~receives~~ a camp backpack.

→ 주어 Every participant는 3인칭 단수이지만 일반동사의 미래형은 주어와 상관없이 「will+ [동사원형] 」을 써야 한다.

1
고1 9월

Now we were seniors, and my wife must use a wheelchair for extended walks.
senior 노인   extended 장시간에 걸친

→ Now는 현재의 일을 나타내므로 be동사의 [   ](을)를 써야 한다. must는 의무를 나타내는 조동사이다.

2
고1 9월
응용

A complex hormonal regulation direct the growth of hair and nails.
complex 복잡한   hormonal regulation 호르몬 조절 시스템

→ 주어 A complex hormonal regulation이 [   ]이므로, [   ](으)로 써야 한다.

3
고1 9월
응용

You get might a clue from the tone of voice.
clue 단서
tone 어조

→ 조동사 might는 동사 앞에 쓰여 may보다 [   ]의 의미를 나타내며 ' [   ] '(으)로 해석한다.

4
고1 6월

You have to cultivate happiness; you cannot bought it at a store.
cultivate 기르다

→ have to는 '~해야 한다'라는 의미의 조동사로, [   ](으)로 바꿔 쓸 수 있다. cannot은 조동사 can의 부정형으로, 「cannot+ [   ] 」의 형태로 써야 한다.

5
고1 9월

A long time ago, there are a boy.

→ 주어는 a boy이고, 오래전의 일이므로, be동사의 [   ](을)를 써야 한다.

목표 구문 한눈에 보기

진행형

주어	+	be동사	+	v-ing
		am/is/are		
		was/were		
		will be		

완료형

주어	+	have	+	p.p.
		have[has]		
		had		

수동태

주어	+	be동사	+	p.p.
		am/is/are		
		was/were		
		will be		

수동태의 진행형, 완료형

주어	+	be동사	+	being	+	p.p.
		am/is/are				
		was/were				
		will be				

주어	+	have	+	been	+	p.p.
		have[has]				
		had				

필수 기출 어휘 다지기

01	acknowledge	동	인정하다	26	resolve	동	해결하다
02	on behalf of		~을 위해	27	attack	동	공격하다
03	material	명	자료	28	composition	명	창작
04	exchange	명	교환	29	announce	동	발표하다
05	popularity	명	인기	30	recall	동	기억하다
06	accept*	동	받다	31	forcibly	부	강제로
07	awaken	동	깨우치다, 깨닫다	32	translate into		~으로 번역하다
08	spiritual	형	영적인	33	name	동	임명하다
09	dive	동	잠수하다	34	preserve	동	보존하다
10	inability	명	무능함	35	fossil	명	화석
11	survivor	명	생존자	36	obstacle*	명	장애물
12	competition*	명	경쟁; 대회	37	place	동	놓다
13	abundance	명	풍부함	38	transfer	동	옮기다
14	adapt	동	적응하다	39	declare	동	선고하다
15	relatively	부	비교적	40	guilty	형	유죄의
16	industrial	형	산업의	41	challenge*	명	도전
17	dry up		고갈되다	42	constant*	형	지속적인
18	replace*	동	대체하다, 바꾸다	43	exposure	명	노출
19	performance	명	공연	44	relate*	동	관계시키다
20	electricity	명	전기	45	achievement	명	성취
21	friction	명	마찰	46	involve*	동	참여시키다
22	protect	동	보호하다	47	concern*	동	걱정시키다
23	honor	동	존경하다	48	temper*	명	성질
24	conflict*	명	갈등	49	frighten	동	겁먹게 만들다
25	permanently	부	영구적으로	50	evidence*	명	증거

UNIT 4 ✈ 동사의 다양한 형태

1 진행형 be v-ing

대표 문장
고1 9월 응용

더 많은 나라들이	인정하고 있다	자연의 권리를
More countries	are acknowledging	nature's rights.
	V(현재진행)	

2 완료형 have p.p.

대표 문장
고1 3월 응용

생존자들은	발전시켜 왔다	신속하게 인식하는 그들의 능력을
Survivors	have developed	their skill of rapid cognition.
	V(현재완료)	

3 수동태 be p.p.

대표 문장
고1 9월 응용

이러한 종류의 전기는	생성된다	마찰에 의해서
This kind of electricity	is produced	by friction.
S	V(현재 수동태)	by+O

4 수동태의 진행형, 완료형

대표 문장
고1 3월 응용

그것은	녹화되고 있었다
It	was being taped.
	V(과거진행 수동태)

대표 문장
고1 3월 응용

중앙아메리카는	피해를 당해 왔다	일련의 허리케인에 의해
Central America	has been hit	by a series of hurricanes.
	V(현재완료 수동태)	by+O

5 수동태와 함께하는 전치사

대표 문장
고1 3월 응용

인생은	~으로 가득 차 있다	많은 위험과 도전
Life	is filled with	a lot of risks and challenges.
	V(수동태+전치사)	

▶ 「be동사+v-ing」로 동사의 진행형을 나타낼 수 있다.

진행형
- 현재/과거/미래의 특정 시점에 진행 중인 일을 나타낸다.
- be동사 뒤의 v-ing는 동사원형에 -ing를 붙인 현재분사로, 진행의 의미를 나타낸다.

현재진행	am/is/are+v-ing	~하고 있다
과거진행	was/were+v-ing	~하고 있었다
미래진행	will be+v-ing	~하고 있을 것이다

▶ 「have[has]/had+p.p.」로 동사의 완료형을 나타낼 수 있다.

완료형
- '과거~현재'/'과거 이전(대과거)~과거' 두 시점을 연결하여 이전 시점에 시작된 일이 나중 시점까지 영향을 미치고 있음을 나타낸다.
- have[has]/had는 조동사며 p.p.는 완료의 의미를 나타내는 과거분사(「동사원형+(e)d」/불규칙)이다.

현재완료/ 과거완료	have[has]+p.p./ had+p.p.	완료	이미[막] ~했다	just, already, yet 등
		경험	~한 적이 있다	ever, never, before, once 등
		계속	~해 왔다	since, for, so far, how long 등
		결과	~해 버렸다	go, come, leave, lose, buy 등

▶ 「be동사+p.p.」로 수동태를 나타낼 수 있다.

수동태
- 동작을 행하는 '주체'가 아닌, 동작에 영향을 받는 '대상'이 주어로 표현되는 것을 말한다.
- 동작의 주체인 행위자는 문장 뒤에 「by+목적어(O)」의 형태로 나타내며, 생략되기도 한다.

현재 수동태	am/is/are+p.p.	~되다/~받다
과거 수동태	was/were+p.p.	~되었다/~받았다
미래 수동태	will be+p.p.	~될 것이다/~받을 것이다

▶ 「be동사+being+p.p.」와 「have[has]/had+been+p.p.」로 수동태의 진행형과 완료형을 나타낼 수 있다.

진행/완료 수동태	진행	현재진행 수동태	am/is/are+being+p.p.	~되고 있다
		과거진행 수동태	was/were+being+p.p.	~되고 있었다
	완료	현재완료 수동태	have[has]+been+p.p.	~되었다, ~되어 왔다 (완료, 경험, 계속, 결과)
		과거완료 수동태	had+been+p.p.	

▶ 수동태 뒤에 by 이외의 전치사가 쓰이기도 한다.

수동태+전치사	be filled with	~으로 가득 차다	be covered with	~으로 덮여 있다
	be limited to	~로 제한되다	be related to	~와 관계가 있다
	be involved in	~에 참여하다	be interested in	~에 관심이 있다
	be concerned about	~을 걱정하다	be frightened of	~을 무서워하다
	be based on	~에 근거하다	be known to[as]	~에게[으로] 알려지다

UNIT 4 / 1 진행형 be v-ing

- 진행형은 특정 시점에 진행 중인 일을 나타낸다.
- 현재진행형은 「am/is/are+v-ing」의 형태로 쓰고 '(현재) ~하고 있다'로 해석한다.

대표 문장

153
고1 9월
응용

더 많은 나라들이　　　　　인정하고 있다　　　　　자연의 권리를
More countries / are acknowledging / nature's rights.
　　　　　　　　　　　　V (현재진행)

154
고1 6월

I **am writing** to you on behalf of Ashley Hale.

on behalf of ~을 위해

155
고1 3월
응용

A high school is experimenting with a study of historical material.

experiment with ~을 실험하다

156
고1 3월
응용

Advertising exchanges are gaining in popularity.

157
고1 6월

We are currently accepting bookings for guided tours.

booking 예약
guided 가이드가 안내하는

158
고1 3월
응용

You're awakening yourself on a spiritual level.

- 과거진행형은 「was/were+v-ing」의 형태로 쓰고 '(과거에) ~하고 있었다'로 해석한다.

159
고1 3월
응용

나는　잠수하고 있었다　　혼자　　　약 40피트 정도의 물속에서
I / **was diving** / alone / in about 40 feet of water.
　　　∨(과거진행)

160
고1 6월
응용

An old man **was coming** toward him from across the parking lot.

☆**161**
고1 3월
응용

The audience at the contest were laughing out loud at his inability.

laugh out loud 큰 소리로 웃다

- 미래진행형은 「will be+v-ing」의 형태로 쓰고 '(미래에) ~하고 있을 것이다'로 해석한다.

162
고1 3월

다음 주부터,　　　당신은　　일하고 있을 것이다　　　　마케팅부에서
From next week, / you / **will be working** / in the Marketing Department.
　　　　　　　　　　∨(미래진행)

163
고1 3월
응용

You **will be doing** exercise.

문장구조 + 영작하기

1

광고 교환은	얻고 있다	인기를

2

한 노인이	다가오고 있었다	그를 향해서	주차장 건너편에서

UNIT 4 / 2 완료형 have p.p.

- 완료형은 특정 시점까지의 완료(이미[막] ~했다), 경험(~한 적이 있다), 계속(~해 왔다), 결과(~해 버렸다)를 나타낸다.
- 현재완료는 「have[has]+p.p.」 형태로 '과거'에 일어난 일이 '현재'까지 영향을 줄 때 쓴다.

> **대표 문장**
> **164**
> 고1 3월
> 응용
>
> 생존자들은　　　　발전시켜 왔다　　　　신속하게 인식하는 그들의 능력을
> Survivors / **have developed** / their skill of rapid cognition.
> 　　　　　　　V (현재완료)

165
고1 9월
응용

Time and again, communities **have studied** water systems.　　　time and again 되풀이해서

166
고1 6월
응용

Since the new millennium, businesses have experienced more global competition.

167
고1 9월
응용

From the beginning of human history, people have asked questions about the world.

☆**168**
고1 6월
응용

China has had only a single writing system from the beginning.　　　writing system 문자 체계

169
고1 9월
응용

Humans have not always had the abundance of food.

☆**170**
고1 3월

Your mind has not yet adapted to this relatively new development.

- 과거완료는 「had+p.p.」 형태로 '과거 이전'에 일어난 일이 '과거'까지 영향을 줄 때 쓴다.
- 과거에 일어난 두 가지 일 중 먼저 일어난 일(대과거)을 나타낼 때도 과거완료를 쓴다.

171
고1 9월
응용

소년은 　　 승리했다 　　 그 토너먼트에서
The boy / **had won** / the tournament.
　　　　　　 V(과거완료)

172
고1 6월
응용

His father **had been** in jail.

173
고1 6월
응용

Industrial jobs had slowly dried up, and nothing had replaced them.

☆174
고1 3월
응용

Her mother had never made a mistake in any of her performances.

175
고1 6월

He had just come from the car wash and was waiting for his wife.　　car wash 세차장

☆176
고1 6월
응용

By 1906, he had moved to New York and was taking jobs.

문장구조 + 영작하기

1

되풀이해서,	사회는	연구해 왔다	수계(水系)를

2

그는	방금 나왔다	세차장에서	그리고	~를 기다리고 있었다	그의 아내

- 수동태는 동작에 영향을 받는 대상이 주어로 표현되는 동사의 형태이다.
- 동작의 주체인 행위자는 문장 뒤에 「by+목적어(O)」 형태로 쓰거나 생략된다.
- 수동태의 현재형은 「am/is/are+p.p.」의 형태로 쓰고 '(현재) ~되다/~받다'로 해석한다.

대표 문장

177
고1 9월
응용

이러한 종류의 전기는   생성된다   마찰에 의해서
This kind of electricity / **is produced** / **by friction**.
         S   V(현재 수동태)   by+O
(← Friction **produces** this kind of electricity. 〈능동태〉)

178
고1 6월
응용

Joshua trees **are protected** by law.

179
고1 3월
응용

Snakes are honored by some cultures.

☆**180**
고1 3월

In the classical fairy tale the conflict is often permanently resolved.   fairy tale 동화

★ 동작의 주체인 행위자가 불분명하거나 일반인일 때 「by+목적어(O)」는 흔히 생략된다.

181
고1 3월
응용

This position is not generally shared.   position 견해

- 수동태의 과거형은 「was/were+p.p.」의 형태로 쓰고 '(과거에) ~되었다/~받았다'로 해석한다.

182
고1 3월
응용

Debbie는   인사를 받았다   승무원 모두로부터
Debbie / **was greeted** / **by all of the flight attendants**.
   S   V(과거 수동태)   by+O
(← All of the flight attendants **greeted** Debbie. 〈능동태〉)

183
고1 6월
응용

They **were attacked** by a wild animal.

184
고1 3월

In all cases, 15 of the problems were solved correctly.

185
고1 3월
응용

Many of his plays were rewritten after their original composition.

rewrite 개작하다
original 최초의

• 수동태의 미래형은 「will be+p.p.」의 형태로 쓰고 '(미래에) ~될 것이다/~받을 것이다'로 해석한다.

186
고1 9월

신발은   수거될 것이다   매 격주 화요일에
Shoes / will be picked up / on Tuesdays every two weeks.
　S　　　V(미래 수동태)

187
고1 3월

Winners **will be announced** on March 27, 2020.

188
고1 9월
응용

A summer vacation will be recalled for its highlights.

highlight 가장 흥미로운 부분

문장구조 + 영작하기

1

뱀들은	존경을 받는다	몇몇 문화권에 의해서

2

모든 경우에,	15개의 문제들이	해결되었다	정확하게

- 수동태도 진행형이나 완료형을 나타낼 수 있다.
- 현재진행 수동태는 「am/is/are+being+p.p.」의 형태로 쓰고 '~되고 있다'로 해석한다.
- 과거진행 수동태는 「was/were+being+p.p.」의 형태로 쓰고 '~되고 있었다'로 해석한다.

대표 문장
189
고1 3월
응용

그것은   녹화되고 있었다
It / **was being taped**.
　　　V(과거진행 수동태)

190
고1 3월

My arm **was being lifted** forcibly.

lift 들어 올리다

- 현재완료/과거완료 수동태는 「have[has]/had+been+p.p.」 형태로 쓰고, '~되었다, ~되어 왔다(완료, 경험, 계속, 결과)'로 해석한다.

대표 문장
191
고1 3월
응용

중앙아메리카는　　　　　피해를 당했다　　　　일련의 허리케인에 의해
Central America / **has been hit** / **by a series of hurricanes**.
　　　　　　　　　V(현재완료 수동태)　　　　by+O

(← A series of hurricanes **have hit** Central America. 〈능동태〉)

192
고1 6월

One of her novels **has been translated** into more than eighty languages.

☆**193**
고1 6월
응용

Virginia Smith has been named the school's new swimming coach.

★ 목적어와 목적격보어가 있는 5형식 문장을 수동태로 쓰면 보어가 수동태 뒤에 남는다.

194
고1 6월
응용

Dinosaurs' bones have been preserved as fossils.

195
고1 6월
응용

Unfortunately, many Joshua trees have been dug up.

dig up 땅에서 파내다

196
고1 6월

His works have been widely read and still enjoy great popularity.

widely 널리

197
고1 9월
응용

장애물이   놓여 있었다   그의 길에
The obstacles / **had been placed** / in his path.
               V(과거완료 수동태)

198
고1 9월
응용

The object **had been transferred** to the second box.

☆**199**
고1 9월
응용

Seventy-five percent of prisoners had been declared guilty.

문장구조 + 영작하기

1	내 팔이	들어 올려지고 있었다	강제로

2	그의 작품들은	널리 읽혀왔다	그리고 여전히 누린다	큰 인기를

UNIT 4 / 5 수동태와 함께하는 전치사

- 특정 동사의 수동태 뒤에는 by 이외에 with, to, in, about, of, on 등의 다른 전치사가 온다.
  - be filled with: ~으로 가득 차다
  - be limited to: ~로 제한되다
  - be involved in: ~에 참여하다
  - be covered with: ~으로 덮여 있다
  - be related to: ~와 관계가 있다
  - be interested in: ~에 관심이 있다

대표 문장
200
고1 3월
응용

인생은　~으로 가득 차 있다　　　　　　　많은 위험과 도전
Life / **is filled with** / a lot of risks and challenges.
　　　　V(수동태+전치사)

201
고1 3월
응용

Your dog **is covered with** pieces of the cushion's stuffing.　　　stuffing (쿠션) 속, 충전재

202
고1 6월

Each class is limited to 10 kids.

203
고1 3월
응용

Constant exposure to noise is related to children's academic achievement.

204
고1 3월
응용

Another group of students is involved in traditional research techniques.　　technique 기법

205
고1 3월
응용

Füstenau was more interested in the flute.

2

- be concerned about: ~을 걱정하다
- be frightened of: ~을 무서워하다
- be based on: ~에 근거하다

206
고1 9월

그 소년의 부모는　　　　　　～을 걱정했다　　　　　　그의 못된 성질
The boy's parents / were concerned about / his bad temper.
　　　　　　　　　　V(수동태+전치사)

207
고1 3월
응용

Most people were frightened of flying.

flying 비행

208
고1 6월
응용

The evidence is based on the personal opinions from a small sample.

sample 표본

문장구조 + 영작하기

1

지속적인 노출은	소음에	~와 관계가 있다	아이들의 학업 성취

2

대부분의 사람들은	~을 무서워했다	비행

UNIT 4 / REVIEW TEST

동사를 찾아 시제와 태를 표시한 뒤, 문장을 끊어 읽고 해석하시오.

0
고1 3월
응용

The emotion / is tied / to the situation.
　　　　　　V(현재 수동태)
→ 그 감정은 그 상황과 연결되어 있다.

1
고1 6월

A slight smile was spreading over her face.　　　　　　　spread 번지다

→ _____

2
고1 6월
응용

He was eliminated from the competition after all.　　　eliminate 탈락시키다
　　　　　　　　　　　　　　　　　　　　　　　　　　　　　　after all 결국

→ _____

3
고1 3월

The store is organized by category, and you have shopped in the store repeatedly.
　　　　　　　　　　　　　　　　　　　　　　　　　　　　　organize 정리하다

→ _____

4
고1 6월
응용

My client was holding one leg at a right angle to his body.　　right angle 직각

→ _____

5
고1 6월
응용

Advertising has become a necessity in everybody's daily life.　necessity 필수적인 것

→ _____

6
고1 9월

The boy's biggest weakness had become his biggest strength.

→ _____

7
고1 3월
응용

95 percent of mysterious deep-sea world has never been seen before.

→ _____

구문+문법 다음 문장에서 틀린 곳을 찾아 바르게 고치고, 빈칸을 완성하시오.

0
고1 6월
응용

discussed
This concept has been discuss.

→ 과거부터 지금까지 계속 '논의되어 왔다'라는 의미가 되도록 현재완료 수동태 를 써야 한다.

1
고1 9월
응용

This distinctive accent taught widely by pronunciation tutors.

distinctive 독특한
pronunciation 발음
tutor 지도 강사

→ This distinctive accent가 동작의 대상이고, pronunciation tutors가 동작의 주체이므로, '가르쳐졌다'라는 의미의
[   ](을)를 써야 한다.

2
고1 6월
응용

Expectation is actually based by a person's past experiences.

expectation 기대

→ base는 수동태로 쓸 때 뒤에 [   ] 이외의 다른 [   ](이)가 오는 동사이다.

3
고1 3월

The one grand prize winner will be chose by online voting.

grand prize 대상
voting 투표

→ 대상 수상자 한 명이 온라인 투표를 통해 '선택될 것'이라는 의미가 되도록 [   ](을)를 써야 한다.

4
고1 6월
응용

There have being few studies on the relationships between verbal and nonverbal communication.

verbal 언어적(↔nonverbal 비언어적)

→ 과거부터 지금까지 '연구가 거의 없었다'라는 의미가 되도록 [   ](을)를 써야 한다.

5
고1 6월
응용

On college campuses in the U.S., some animals are help students in need.

in need 도움이 필요한

→ '도와주고 있다'라는 의미가 되도록 [   ](을)를 써야 한다.

PART 3

동사의 역할 변화, 준동사

UNIT 5 동사의 주어, 목적어, 보어 역할

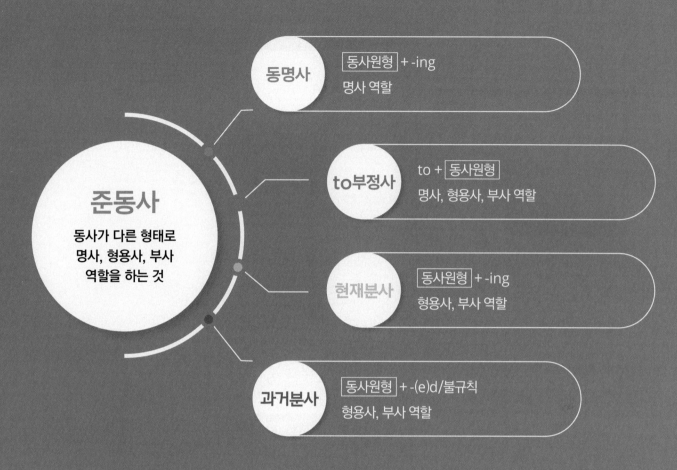

준동사
동사가 다른 형태로
명사, 형용사, 부사
역할을 하는 것

동명사
동사원형 + -ing
명사 역할

to부정사
to + 동사원형
명사, 형용사, 부사 역할

현재분사
동사원형 + -ing
형용사, 부사 역할

과거분사
동사원형 + -(e)d/불규칙
형용사, 부사 역할

UNIT 6   동사의 수식어 역할

UNIT 5 동사의 주어, 목적어, 보어 역할

목표 구문 한눈에 보기

동사가 주어로 변신

주어	+	동사
동명사		
to부정사		

동사가 목적어로 변신

주어	+	동사	+	목적어
				동명사
				to부정사

전치사	+	목적어
		동명사

동사가 보어로 변신

주어	+	동사	+	보어
				동명사
				to부정사
				현재분사/과거분사

주어	+	동사	+	목적어	+	보어
						to부정사
						원형부정사
						현재분사/과거분사

01	clarify	동	분명하게 하다	26	retrieve	동	되찾다
02	introduce	동	도입하다	27	object	명	물건
03	promote	동	증진시키다	28	include	동	동봉하다
04	knowledgeable	형	유식한	29	look into		~을 조사하다
05	mean★	동	의미하다	30	contrast	동	대조하다
06	succeed	동	성공하다	31	argument	명	논증
07	produce★	동	만들어 내다	32	competence	명	능력
08	worthwhile	형	가치 있는	33	matter	동	중요하다
09	require★	동	필요로 하다	34	remarkable	형	중요한
10	fruitless	형	결실 없는	35	judge	명	심사 위원
11	distinguish	동	구별하다	36	expert★	명	전문가
12	accomplishment	명	성취	37	emotion	명	감정
13	innocence	명	순수	38	approach	명	접근법
14	consumer★	명	소비자	39	audience★	명	청중
15	claim	명	주장	40	researcher★	명	연구자
16	achieve★	동	성취하다	41	participant★	명	참가자
17	vow	동	맹세하다	42	perform	동	수행하다, 공연하다
18	organization	명	단체	43	ability★	명	능력
19	transport	동	수송하다	44	ancestor	명	조상
20	bless	동	축복하다	45	complain	동	불평하다
21	clap	동	박수를 치다	46	creep	동	기어가다
22	wipe off		~을 닦다	47	go about		~을 시작하다
23	receive★	동	받다	48	loosen up		긴장을 풀다
24	surrounding	명	환경	49	install	동	설치하다
25	combine	동	병행하다	50	generator	명	발전기

1 동사가 주어로 변신

대표 문장
고1 3월 응용

계획을 종이에 적는 것은   분명하게 해 줄 것이다   여러분의 생각들을

Putting your plan down on paper   will clarify   your thoughts.

S (동명사구)   V   O

2 동사가 목적어로 변신 ①

대표 문장
고1 3월 응용

신은   즐기고 있었다   그 개구리의 소리를 듣는 것을

God   was enjoying   **listening** to the sound of the frog.

S   V   O (동명사구)

3 동사가 목적어로 변신 ②

대표 문장
고1 3월 응용

그 사람들은   싫어했다   캥거루 같은 꼬리가 있고 무릎이 없는 것을

The people   hated   **having** kangaroo tails and no knees.

S   V   O (동명사구)

4 동사가 주격보어로 변신

대표 문장
고1 3월 응용

그의 꿈은   ~이었다   프로 야구 선수가 되는 것

His dream   was   **to be** a professional baseball player.

S   V   C (to부정사구)

5 동사가 목적격보어로 변신 ①

대표 문장
고1 3월

그녀의 미소는   만들었다   내가   미소 짓도록 그리고 정말 좋은 기분이 들도록

Her smile   made   me   **smile** and **feel** really good inside.

S   V   O   C (원형부정사구)

6 동사가 목적격보어로 변신 ②

대표 문장
고1 3월 응용

나는   보았다   새로 출시된 휴대 전화가   바로 내 옆에 놓여 있는 것을

I   saw   a brand new cell phone   **sitting** right next to me.

S   V   O   C (현재분사구)

▶ 동명사와 to부정사는 문장에서 주어 역할을 할 수 있다.

동명사, to부정사 주어
- 동명사와 to부정사는 명사(구)로서, 문장의 주어 자리에 올 수 있고, '~하는 것은'으로 해석한다.
- 동명사와 to부정사 주어는 단수 취급하여 단수 동사가 온다.

★ 부정사구가 주어로 쓰일 때, 주로 가주어 It을 문장 앞에 두고 진주어인 to부정사구는 문장 뒤로 보낸다.

LINK PART 5 UNIT 9-2

▶ 동명사와 to부정사는 문장에서 목적어 역할을 할 수 있다.

동명사, to부정사 목적어 ①
- 동명사와 to부정사는 명사(구)로서, 문장의 목적어 자리에 올 수 있고, '~하는 것을'로 해석한다.
- 동사에 따라 동명사 또는 to부정사 둘 중 하나만 목적어로 쓸 수 있다.

동명사를 목적어로 쓰는 동사	avoid, enjoy, finish, keep, mind, quit, stop 등
to부정사를 목적어로 쓰는 동사	agree, decide, expect, hope, need, refuse, want 등

▶ 동명사와 to부정사를 둘 다 목적어로 쓰는 동사도 있지만, 의미가 달라지는 경우도 있다.

동명사, to부정사 목적어 ②

동명사와 to부정사를 목적어로 쓰는 동사	like, hate, attempt, start, begin, continue 등 〈의미 같음〉

forget	동명사	(과거에) ~했던 것을 잊다	regret	동명사	~했던 것을 후회하다
	to부정사	(앞으로) ~할 것을 잊다		to부정사	~하게 되어 유감이다
remember	동명사	(과거에) ~했던 것을 기억하다	try	동명사	(시험 삼아) ~해 보다
	to부정사	(앞으로) ~할 것을 기억하다		to부정사	~하려고 노력하다

▶ 동명사, to부정사, 분사는 문장의 주격보어 역할을 할 수 있다.

동명사, to부정사 주격보어
- 동명사와 to부정사는 문장의 주격보어 자리에 올 수 있고, '~하는 것이다'로 해석한다.

현재분사, 과거분사 주격보어
- 감정을 나타내는 동사의 현재분사, 과거분사 형태는 형용사로 굳어져 주격보어로 쓰인다.
- 현재분사(v-ing)는 능동(~한 감정을 느끼게 만드는), 과거분사(p.p.)는 수동(~한 감정을 느끼는)의 의미이다.

감정을 나타내는 동사	interest, confuse, surprise, disappoint 등

▶ to부정사와 원형부정사는 목적격보어 역할을 할 수 있다.

to부정사 목적격보어
- 목적어와 '주어 – 술어'의 관계이고, '목적어가 ~하기를/~하도록'으로 해석한다.

to부정사를 목적격보어로 쓰는 동사	ask, want, allow, expect, promise, cause 등

원형부정사 목적격보어
- 원형부정사는 「to + 동사원형」의 to부정사에서 to가 생략된 동사원형이다.
- 목적어와 '주어 – 술어'의 관계이고, 동사에 따라 '목적어가 ~하도록/~하는 것을'로 해석한다.

원형부정사를 목적격보어로 쓰는 동사	사역동사(make, have, let), 지각동사(see, hear 등)

▶ 현재분사와 과거분사는 목적격보어 역할을 할 수 있다.

현재분사 목적격보어
- 목적어와 능동 관계(O가 C하다)이고 동작이나 사건이 진행 중(~하고 있다)임을 나타낸다.

현재분사를 목적격보어로 쓰는 동사	사역동사, 지각동사, keep, leave, find 등

과거분사 목적격보어
- 목적어와 수동 관계(O가 C되다)이고 동작이나 사건이 완료되었음을 나타낸다.

과거분사를 목적격보어로 쓰는 동사	사역동사, 지각동사, keep, leave, find 등

- 동명사(v-ing)는 문장의 주어 자리에 올 수 있고, '~하는 것은'으로 해석한다.
- 동명사(구) 주어는 단수 취급하여 단수 동사가 온다.

대표 문장
209
고1 3월
응용

계획을 종이에 적는 것은   분명하게 해줄 것이다   여러분의 생각들을
Putting your plan down on paper / **will clarify** / **your thoughts.**
      S (동명사구)   V

☆ **210**
고1 6월
응용

Introducing a new product category is difficult.   introduce 도입하다

211
고1 3월
응용

Bringing in some cookies once in a while is enough.   once in a while 이따금씩

212
고1 9월
응용

Having a comfortable work chair and desk is the least popular choice.   comfortable 편안한

☆ **213**
고1 3월
응용

Climbing stairs provides a good workout.

214
고1 6월
응용

Experiencing physical warmth promotes interpersonal warmth.   interpersonal 대인 관계의
                                                                    warmth 따뜻함

215
고1 3월
응용

Having friends with other interests keeps life interesting.

216
고1 9월
응용

Studying history can make you more knowledgeable.   knowledgeable 유식한

- to부정사(to-v)는 문장의 주어 자리에 올 수 있고, '~하는 것은'으로 해석한다.
- to부정사(구) 주어는 단수 취급하여 단수 동사가 온다.

217
고1 3월

위험을 무릅쓰는 것은   의미한다   언젠가 당신이 성공할 것임을   그러나 위험을 전혀 무릅쓰지 않는 것은   의미한다

To take risks / means [you will succeed sometime] but **never to take a risk / means**
  S₁(to부정사구)   V₁   S₂(to부정사구)   V₂

당신이 결코 성공하지 못할 것임을

[that you will never succeed].   ★ means 뒤에 명사절이 목적어로 쓰였다. LINK PART 4 UNIT 7

218
고1 3월
응용

To produce something worthwhile may require years of such fruitless labor.   labor 노동

- to부정사구가 주어로 오면, 주로 가주어 It을 쓰고, 진주어 to부정사구는 문장 뒤로 보낸다.

219
고1 3월
응용

×   ~아니다   쉬운   수컷과 암컷 chuckwalla를 구별하는 것은

It / is not / easy / to distinguish between male and female chuckwallas.
S(가주어)   V   S'(진주어: to부정사구)

(← **To distinguish between male and female chukwallas** is not easy.)

220
고1 9월
응용

It is a mistake **to reward all of your child's accomplishments**.   reward 보상하다
accomplishment 성취

문장구조 + 영작하기

1	계단을 오르는 것은	제공한다	좋은 운동을

2	×	~이다	실수	보상하는 것은	당신의 자녀의 모든 성취에 대해

- 동명사는 문장의 목적어 자리에 올 수 있고, '~하는 것을'로 해석한다.
- 동사 avoid, enjoy, finish, keep, mind, quit, stop 등은 동명사를 목적어로 쓴다.

대표 문장

221
고1 3월
응용

신은 즐기고 있었다 그 개구리의 소리를 듣는 것을
God / **was enjoying** / **listening** to the sound of the frog.
  S   V   O(동명사구)

222
고1 6월
응용

Many people enjoy **hunting wild species of mushrooms** in the spring season.

species 종(種)

223
고1 3월
응용

We keep **searching for answers** on the Internet.

☆ **224**
고1 9월
응용

She finished **writing** *The Age of Innocence* there.

innocence 순수

☆ **225**
고1 3월
응용

He couldn't stop **thinking** about the little boy with the big sad eyes.

226
고1 6월
응용

As consumers we have to avoid **taking advertising claims too seriously**.

consumer 소비자
claim 주장

- 동명사는 전치사의 목적어로도 쓰일 수 있다.

227
고1 3월
응용

우리는   기대하고 있다   훌륭한 작업을 보는 것을   당신으로부터
We / **are looking forward to** / **seeing** excellent work / from you.
                                전치사의 목적어(동명사구)

228
고1 3월
응용

We must pay the price for **achieving the greater rewards**.

achieve 성취하다

- to부정사는 문장의 목적어 자리에 올 수 있고, '~하는 것을'로 해석한다.
- 동사 agree, decide, expect, hope, need, refuse, want 등은 to부정사를 목적어로 쓴다.

229
고1 3월

여러분은　기대할 수 있다　　　　신생아부터 십 대까지 어린이를 위한 장난감을 찾는 것을
You / **can expect** / **to find** toys for children from birth to teens.
　S　　　　V　　　　　　　　　　　　O(to부정사구)

☆ **230**
고1 3월
응용

Toby vowed **not to forget the boy**.　　　　　　　　　　　　　　vow 맹세하다

★ to부정사의 부정은 「not[never]+to부정사」로 나타낸다.

231
고1 6월
응용

A spacecraft would need to carry enough air, water, and other supplies.

232
고1 3월

The organization agreed to transport the T-shirts on their next trip to Africa.
　　　　　　　　　　　　　　　　　　　　　　　　　　　　　　organization 단체

233
고1 6월

We hope to give some practical education to our students in regard to industrial
procedures.　　　　　　　　　　　　　　　　in regard to ~과 관련해서　procedure 절차

234
고1 3월
응용

He wanted to give a last blessing to his final resting place, so he decided to create
humans.　　　　　　　　　　　　　　　　　　　　　　　　　resting place 안식처

문장구조 + 영작하기

1	우리는	계속 ~한다	답을 검색하는 것을	인터넷에서

2	그 단체는	동의했다	수송할 것을	그 티셔츠들을	그들의 다음 아프리카 방문에

• 동사 like, hate, attempt, start, begin, continue 등은 동명사와 to부정사를 모두 목적어로 쓸 수 있고, 의미 차이가 없다.

대표 문장
235
고1 3월
응용

그 사람들은　　　싫어했다　　　캥거루 같은 꼬리가 있고 무릎이 없는 것을
The people / **hated** / **having** kangaroo tails and no knees.
　　S　　　　　　V　　　　　　　O(동명사구)

236
고1 6월

People started **clapping and singing**.

clap 박수를 치다

237
고1 3월
응용

Later, you can start to love them again.

☆238
고1 6월

Kevin said, "Thanks," and continued wiping off his car.

wipe off ~을 닦다

239
고1 6월
응용

You'll continue to receive your monthly issue of *Winston Magazine*.

issue 발행물

240
고1 9월

We simply don't like being out of tune with our surroundings and ourselves.

be out of tune with ~와 조화가 깨지다

241
고1 3월
응용

Most young people like to combine a bit of homework with quite a lot of instant messaging.

combine 병행하다

242
고1 3월
응용

Each person attempted to gain the maximum rewards from the other campers in exchange for the use of his or her talents.

in exchange for ~의 대가로

- 동사 forget, remember, regret, try 등은 무엇을 목적어로 쓰는지에 따라 의미가 달라진다.
  - forget+동명사: (과거에) ~했던 것을 잊다
  - remember+동명사: (과거에) ~했던 것을 기억하다
  - regret+동명사: ~했던 것을 후회하다
  - try+동명사: (시험 삼아) ~해 보다

  - forget+to부정사: (앞으로) ~할 것을 잊다
  - remember+to부정사: (앞으로) ~할 것을 기억하다
  - regret+to부정사: ~하게 되어 유감이다
  - try+to부정사: ~하려고 애쓰다[노력하다]

243
고1 9월
응용

시험 삼아 해 보아라   물건을 만드는 데서 즐거움을 찾기를   물건을 사기보다는

<u>Try</u> / **finding** pleasure in creating things / rather than buying things.
  V   O(동명사구)

cf. Try **to find** pleasure in creating things rather than to buy things.
(물건을 사기보다는 물건을 만드는 데서 즐거움을 찾도록 노력하라.)

244
고1 9월
응용

The first experimenter tried **retrieving the object from the first box**.   experimenter 실험자
                                                       object 물건

☆**245**
고1 3월
응용

He tried to keep his promise.

246
고1 3월
응용

He had unfortunately forgotten to include the check.   check 수표

문장구조
+
영작하기

1	Kevin은	말했다	"고맙습니다"라고	그리고 계속했다	닦는 것을	자신의 차를

2	그는	유감스럽게도 잊었었다		동봉하는 것을	그 수표를

- 동명사와 to부정사는 주어를 보충 설명하는 주격보어로 올 수 있다.
- 주로 be동사 다음에 오는 to부정사와 동명사는 주격보어이고, '~하는 것이다'로 해석한다.

대표 문장

247
고1 3월
응용

그의 꿈은　～이었다　　　　　　프로 야구 선수가 되는 것
His dream / was / to be a professional baseball player.
　　S　　　 V 　　　　　　　C(to부정사구)
　　└──────(=)──────┘

(= His dream was **being** a professional baseball player.)

248
고1 3월

Their job was **to look into the pipe and fix the leak**.

look into ~을 조사하다
leak 새는 곳

249
고1 6월
응용

The best way is to contrast an argument with an opinion.

argument 논증
opinion 의견

250
고1 6월
응용

The challenge for educators is to ensure individual competence in basic skills.

ensure 보장하다

- 동사 seem, appear 뒤에 오는 to부정사도 주격보어이다.

251
고1 3월

그것은 ~인 것 같았다　　웃고 있는
It / seemed / to be smiling.
S　　 V　　　C(to부정사구)
└────(=)────┘

252
고1 3월
응용

Small changes don't seem **to matter very much** in the moment.

matter 중요하다

253
고1 9월

In 2000, the government in Glasgow, Scotland, appeared to stumble on a remarkable crime prevention strategy.

stumble on 우연히 발견하다
prevention strategy 예방 전략

- 감정을 나타내는 동사 amaze, confuse, surprise, disappoint 등의 분사 형태는 형용사로 굳어져 주격보어로 쓰인다.
- 현재분사(v-ing)는 능동(~한 감정을 느끼게 만드는)의 의미를, 과거분사(p.p.)는 수동(~한 감정을 느끼는)의 의미를 나타낸다.

254
고1 3월

그것은 ~이었다 놀라운
It / **was** / **amazing**.
S   V   C(현재분사)

255
고1 9월
응용

"Mixed-signals" can be **confusing**.

256
고1 3월

Serene은   ~했다   놀란
Serene / **was** / **surprised**.
S   V   C(과거분사)

257
고1 3월
응용

You would be **confused**.

258
고1 3월

Even the judges looked **disappointed**.

judge 심사 위원

문장구조 + 영작하기

1	그들의 임무는	~이었다	파이프를 조사하는 것	그리고 새는 곳을 고치는 것

2	'혼합된 신호들'은	~일 수도 있다	혼란스러운

- to부정사는 목적격보어로 올 수 있고, 목적어와 '주어-술어'의 의미 관계를 이루며, '목적어가 ~하기를/~하도록'으로 해석한다.
- ask, advise, want, allow, expect, promise, cause, tell, teach 등은 to부정사를 목적격보어로 쓴다.

259
고1 6월

| | 그는 | 요청했다 | 위대한 피아니스트 Ignacy Paderewski에게 | 와서 연주해 달라고 |
| He / | asked / | the great pianist Ignacy Paderewski | / to come and play. |

S / V / O / C(to부정사구)

260
고1 3월

Her parents expected her **to say something about the fire**.

261
고1 3월

The rich man ordered guards to put him in the lion's cage.

262
고1 3월
응용

Experts advise people to take the stairs instead of the elevator.

expert 전문가
instead of ~ 대신에

263
고1 6월
응용

Emoticons allowed users to correctly understand the level of emotion.

- 준사역동사 help는 to부정사와 원형부정사(동사원형)를 목적격 보어로 쓴다.

264
고1 3월
응용

| 이러한 접근법은 | 도와줄 수 있다 | 당신이 | 불편한 사회적 상황에서 벗어나도록 |
| This approach / | can help / | you / | escape uncomfortable social situations. |

S / V / O / C (원형부정사구)

265
고1 3월
응용

Audience feedback helps the speaker **know when to slow down**.

audience 청중
when+to-v: 언제 ~할지

266
고1 3월
응용

Charlie Brown and Blondie help me to start the day with a smile.

- 원형부정사는 목적격보어로 올 수 있고, 목적어와 '주어-술어'의 관계를 이루며, '목적어가 ~하도록/~하는 것을'로 해석한다.
- 사역동사(make, have, let)와 지각동사(see, watch, look at, hear, feel, smell 등)는 원형부정사를 목적격보어로 쓴다.

대표 문장

267
고1 3월

그녀의 미소는 　만들었다 　내가 　　미소 짓도록 그리고 정말 좋은 기분이 들도록
Her smile / made / me / smile and feel really good inside.
　　S　　　　V　　　O　　　　　C(원형부정사구)

268
고1 6월
응용

The researchers had participants **perform stressful tasks**.

perform 수행하다

269
고1 6월

That ability let our ancestors outmaneuver and outrun prey.

outmaneuver 술책으로 이기다
outrun ~을 앞지르다

270
고1 3월
응용

We can watch people perform or play music.

perform 공연하다

271
고1 3월
응용

One group of subjects saw the person solve more problems correctly.

272
고1 3월
응용

Andrew Carnegie once heard his sister complain about her two sons.

complain 불평하다

문장구조 + 영작하기

1	전문가들은	조언한다	사람들에게	계단을 이용하라고	승강기 대신

2	그런 능력은	~하게 했다	우리 조상들이	먹잇감을 이기고 앞질러서 달리게

- 현재분사(v-ing)는 목적격보어로 올 수 있고, 목적어와의 관계가 능동·진행일 때 '목적어가 ~하고 있다'의 의미를 나타낸다.
- 사역동사(have, make), 지각동사, keep, leave, find 등은 현재분사를 목적격보어로 쓸 수 있다.

대표 문장
273
고1 3월
응용

나는 보았다　　　새로 출시된 휴대 전화가　　　바로 내 옆에 놓여 있는 것을
I / saw / a brand new cell phone / sitting right next to me.
S　 V　　　　　O　　　　　　　　　　C(현재분사구)

274
고1 3월
응용

I saw something **creeping toward me**.

creep 기어가다

275
고1 6월
응용

They see one employee going about a task differently than another.

go about ~을 시작하다

☆276
고1 3월

I heard something moving slowly along the walls.

277
고1 9월
응용

I find my whole body loosening up and at ease.

loosen 느슨해지다　at ease 마음이 편안한

278
고1 6월
응용

Many people find themselves returning to their old habits.

☆279
고1 6월
응용

He found some of the workers not wearing their hard hats.

★ 현재분사의 부정형은 「not+현재분사」로 나타낸다.

- 과거분사(p.p.)는 목적격보어로 올 수 있고, 목적어와의 관계가 수동·완료일 때 '목적어가 ~되다'의 의미를 나타낸다.
- 사역동사, 지각동사, keep, leave, find 등은 과거분사를 목적격보어로 쓸 수 있다.

280
고1 3월
응용

당신은	느낄 것이다	당신의 감정이	북돋아지는 것을
You /	will feel /	your spirit /	lifted.
S	V	O	C(과거분사)

281
고1 9월
응용

You want the TV **installed**.

install 설치하다

282
고1 3월
응용

We found a generator **parked** right outside of our house.

generator 발전기

문장구조 + 영작하기

1
나는	들었다	무엇인가	천천히 움직이고 있는 소리를	벽을 따라서

2
당신은	원한다	TV가	설치되기를

구조+해석 S, O, C로 변신한 동사에 표시한 뒤, 문장을 끊어 읽고 해석하시오.

0
고1 6월

To choose not to run / is / to lose.
　　S(to부정사구)　　　　　C(to부정사구)
→ 뛰지 않기로 선택하는 것은 지는 것이다.

1
고1 3월

It was hard for me to remove my weight belt.　　　　remove 벗다

→ _____

2
고1 3월
응용

Please do not hesitate to ask.　　　　hesitate 주저하다

→ _____

3
고1 9월
응용

The player must avoid crashing into a wall on the roadway.　　crash into ~와 충돌하다

→ _____

4
고1 6월

The habit of reading books multiple times encourages people to engage with them emotionally.　　　　engage 관계를 맺다

→ _____

5
고1 6월

The purpose of building systems is to continue playing the game.　　purpose 목적

→ _____

6
고1 3월
응용

The seller was very interested in closing the deal.　　　　deal 거래

→ _____

7
고1 3월
응용

Church started nursing again at Milwaukee County Hospital.

→ _____

구문+문법 다음 문장에서 <u>틀린</u> 곳을 찾아 바르게 고치고, 빈칸을 완성하시오.

0
고1 9월
응용

is
Being funny a~~re~~ a set of skills.

→ Being funny는 동명사구 주어이다. 동명사(구) 주어는 단수 취급하므로, [단수] 동사를 써야 한다.

1
고1 6월
응용

We will try keeping your inconveniences to a minimum.

inconvenience 불편
minimum 최소한도, 최저

→ 의미상 '~하려고 노력하다'가 자연스러우므로, 동사 try의 목적어로 [   ] (을)를 써야 한다.

2
고1 3월

She decided learning to read.

→ decide는 목적어로 [   ] (을)를 쓰는 동사이다.

3
고1 9월
응용

Their hearts stopped to beat.

beat (심장이) 뛰다

→ '~하는 것을 멈추다'라는 뜻이므로 동사 stop의 목적어로 [   ] (을)를 써야 한다.

4
고1 6월
응용

The best way is live at the "sweet spot."

→ be동사의 주격보어 자리이므로 [   ] 또는 [   ] (을)를 써야 한다.

5
고1 3월

How does a leader make people to feel important?

→ make는 사역동사이고, 목적어와 '주어-술어' 관계를 이루는 목적격보어 자리이므로, [   ] (을)를 써야 한다.

UNIT **6**   동사의 수식어 역할

동사가 수식어(형용사)로 변신

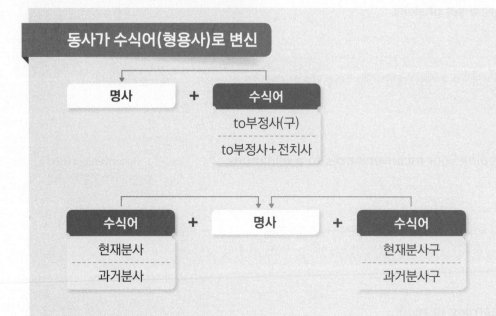

명사	+	수식어
		to부정사(구)
		───────────
		to부정사+전치사

수식어	+	명사	+	수식어
현재분사				현재분사구
───────────				───────────
과거분사				과거분사구

동사가 수식어(부사)로 변신

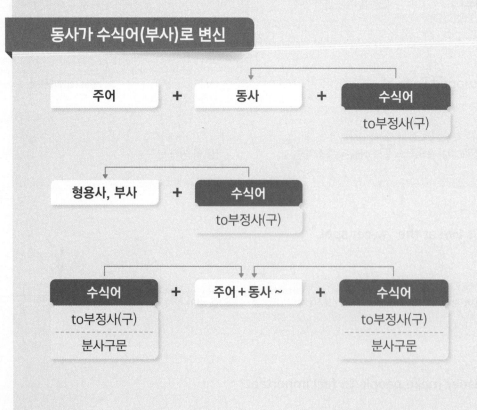

주어	+	동사	+	수식어
				to부정사(구)

형용사, 부사	+	수식어
		to부정사(구)

수식어	+	주어+동사 ~	+	수식어
to부정사(구)				to부정사(구)
───────────				───────────
분사구문				분사구문

아는 단어 ✓
초빈출 어휘 ★

01	access	동	접근하다	26	announce	동	알리다
02	unfortunate	형	바람직하지 않은	27	lab	명	실험실
03	lifelong	형	평생의	28	decision★	명	결정
04	constitution	명	헌법	29	ignore	동	무시하다
05	blame	동	비난하다, 탓하다	30	measure	동	측정하다
06	cheer on		~을 응원하다	31	essential	형	필수적인
07	figure out		~을 이해하다	32	ensure	동	보장하다
08	point at		~을 가리키다	33	knowledgeable	형	유식한
09	responsible	형	책임감 있는	34	mow	동	(잔디를) 깎다
10	except for		~을 제외하고	35	routine	형	일상적인
11	stare	동	응시하다	36	specific	형	구체적인
12	reward	명	보상	37	recognize	동	인식하다
13	notice★	동	알아차리다	38	beat	동	이기다
14	lane	명	길, 도로	39	complicated	형	복잡한
15	comment	명	의견	40	surface	명	수면
16	contribution	명	기여	41	obstacle★	명	장애물
17	daily	형	일상적인	42	impression	명	인상
18	constant	형	끊임없는	43	promising	형	유망한
19	initial	형	처음의	44	executive	명	임원
20	cause★	동	~을 야기하다	45	build★	동	만들다
21	complex★	형	복잡한	46	lively	형	활기찬
22	motivate★	동	동기를 부여하다	47	fascinating	형	흥미로운
23	strategy	명	전략	48	come up with		~을 생각해 내다
24	reduce★	동	줄이다	49	radical	형	급진적인, 획기적인
25	density	명	밀도	50	innovation	명	혁신

UNIT 6 ✈ 동사의 수식어 역할

1 동사가 수식어(형용사)로 변신 ①

대표 문장
고1 3월 응용

TV는	~이었다	뉴스에 접근하는 가장 인기가 있는 방법

TV **was** the most popular way **to access** the news.

＾ to부정사구

2 동사가 수식어(형용사)로 변신 ②

대표 문장
고1 3월

그는	가리켰다	길을 걸어가고 있는 소녀를

He **pointed at** a girl **walking** up the street.

＾ 현재분사구

3 동사가 수식어(부사)로 변신 ①

대표 문장
고1 6월

여러분은	필요하지 않다	복잡한 문장들이	생각을 표현하기 위해

You **don't need** complex sentences **to express** ideas.

to부정사구(목적)

4 동사가 수식어(부사)로 변신 ②

대표 문장
고1 6월 응용

Joshua tree는	~이다	먹기 힘든	오늘날의 기준으로는

Joshua trees **are** hard **to eat** by today's standards.

＾ to부정사

5 분사구문

대표 문장
고1 3월

Dorothy는	말했다	그녀에게	흐느껴 울면서 코를 훌쩍거리며

Dorothy **told** her, **sobbing** and **sniffing**.

분사구문(동시동작)

▶ **to**부정사(구)는 명사를 수식하는 형용사 역할을 한다.

to부정사의 형용사적 용법
- to부정사(구)는 형용사처럼 명사와 대명사를 뒤에서 수식할 수 있다.
- 수식받는 명사는 의미상 to부정사(구)의 주어, 목적어, 전치사의 목적어가 된다.

명사, 대명사 수식	명사+to부정사	~할/~하는
	-thing, -one, -body(+형용사)+to부정사	
	명사+to부정사+전치사	

▶ 현재분사(구)와 과거분사(구)는 명사를 수식하는 형용사 역할을 한다.

현재분사/과거분사
- 분사(구)는 형용사처럼 명사와 대명사를 수식할 수 있다.
- 단독으로 쓰일 때에는 앞에서, 다른 어구(목적어, 보어, 부사 등)와 함께 쓰일 때에는 뒤에서 수식한다.

명사, 대명사 수식	현재분사+명사, 명사+현재분사구	(능동·진행) ~하는/~할/~하고 있는
	과거분사+명사, 명사+과거분사구	(수동·완료) ~해진/~된/~한

▶ **to**부정사(구)는 동사를 수식하는 부사 역할을 한다.

to부정사의 부사적 용법 ①
- to부정사(구)는 부사처럼 동사를 수식하여 다양한 의미를 나타낼 수 있다.

목적	(in order/so as+)to부정사	~하기 위해서/~하도록
판단의 근거	판단을 나타내는 표현+to부정사	~하다니
감정의 원인	감정을 나타내는 표현+to부정사	~해서/~하게 되어서
결과	grow up, wake up, live+to부정사	~해서 (결국) …하다

▶ **to**부정사(구)는 형용사, 부사, 문장 전체를 수식하는 부사 역할을 한다.

to부정사의 부사적 용법 ②
- to부정사(구)는 부사처럼 다른 수식어(형용사, 부사) 또는 문장 전체를 수식할 수 있다.

형용사, 부사 수식	형용사+to부정사	~하기에 …한
	형용사/부사+enough+to부정사	~할 정도로 충분히 …한/하게
	too+형용사/부사+to부정사	~하기에는 너무 …한/하게
문장 전체 수식 (관용 표현)	to tell the truth: 사실대로 말하자면	to make matters worse: 설상가상으로
	to be honest[frank] with you: 솔직히 말해서	to begin[start] with: 우선, 무엇보다도

▶ 분사구문은 문장 전체를 수식하는 부사 역할을 한다.

분사구문
- 분사구문은 부사처럼 문장의 앞이나 중간, 또는 뒤에서 문장 전체를 수식할 수 있다.

동사원형+-ing ~	시간(~할 때/~하고 나서), 이유(~하기 때문에/~해서), 조건(~라면/~한다면), 양보(비록 ~일지라도), 동시동작(~하면서), 연속동작(~하고 나서 …하다)

- 분사구문은 「동사원형+-ing ~」 외에도 태와 시제에 따라 여러 형태가 있다.

(Being) P.P. ~	(수동형 분사구문) 수동(~되다/~해지다)의 의미
Having p.p. ~	(완료형 분사구문) 문장의 시제보다 앞선 시제

★ 분사구문의 부정형은 「not[never]+분사 ~」이다.

- to부정사(구)는 명사나 대명사를 꾸며 주는 형용사 역할을 한다.
- 「명사+to부정사」의 형태로 '~할/~하는'으로 해석한다.

대표 문장
283
고1 3월
응용

TV는   ~이었다   뉴스에 접근하는 가장 인기가 있는 방법
TV / **was** / the most popular way 〈**to access** the news〉.
　　　　　　　　　　　　　└─ to부정사구

284
고1 6월

It was an unfortunate way **to end his lifelong career**.

285
고1 3월
응용

We begin to lose the ability to keep eye contact around 20 miles per hour.

keep eye contact 시선을 마주치다

286
고1 3월

Noise in the classroom has negative effects on communication patterns and the ability to pay attention.

287
고1 9월

Time pressures to make these last-minute changes can be a source of stress.

288
고1 3월

Clearly, the class requires a teacher to teach it and students to take it.　　require 필요로 하다

289
고1 9월
응용

Dorothy Hodgkin became the first woman to receive the Copley Medal.

290
고1 9월

Now Ecuador has become the first nation on Earth to put the rights of nature in its constitution.

• 「-thing/-one/-body(+형용사)+to부정사(구)」의 형태로 형용사와 to부정사(구)가 대명사를 뒤에서 수식한다.

291
고1 6월

      모든 사람은   가지고 있다   행복을 느끼는 무언가를
Everyone / has / something 〈**to be** happy **about**〉.
                            ↳ to부정사구+전치사

★ 「명사+to부정사+전치사」의 형태일 때 수식받는 명사는 전치사의 목적어이다.

292
고1 9월
응용

He has no one **to blame** but himself for some problem.   but ~ 외에

☆**293**
고1 3월
응용

There is no one to stand up and cheer you on.

294
고1 6월

There would be nothing to figure out and there would be no reason for science.

문장구조
+
영작하기

1	분명히,	그 수업은	필요로 한다	그것을 가르칠 교사를	그리고 그것을 들을 학생들을

2	~이 있다	사람이 아무도 없는	일어나서 당신을 계속 응원할

- 「현재분사/과거분사＋명사」또는「명사＋현재분사구/과거분사구」의 형태로 쓰이는 분사는 명사를 수식하는 형용사 역할을 한다.
- 명사와 분사의 관계가 능동·진행일 때 현재분사를 쓰며, '~하는/~할/~하고 있는'의 뜻으로 명사의 행동이나 상태를 표현한다.

대표 문장
295
고1 3월

그는　　가리켰다　　　　길을 걸어가고 있는 소녀를
He / pointed at / a girl 〈**walking** up the street〉.
└─ 현재분사구

296
고1 9월

He was a responsible man **dealing with an irresponsible kid**.

deal with ~을 다루다
irresponsible 무책임한

297
고1 6월

The square was empty except for a black cat staring at me with a scary, sharp look.

☆**298**
고1 3월
응용

We must pay the price for achieving the greater rewards lying ahead of us.

achieve 성취하다

299
고1 3월
응용

Dorothy noticed a strange light shining from the kitchen.

☆**300**
고1 3월

For a chance to win science goodies, just submit a selfie of yourself enjoying science outside of school!

goody 좋은 것　submit 제출하다

301
고1 6월
응용

I looked around and found my driver waiting for me in front of his gray van.

☆**302**
고1 3월
응용

People living in neighborhoods with safe biking and walking lanes use them often.

neighborhood 동네

• 명사와 분사의 관계가 수동·완료일 때 과거분사를 쓰고, '~해진/~된/~한'으로 해석한다.

303
고1 6월
응용

책을 다시 읽는 것은　가져다준다　　　새로워진 이해를　　　　그 책에 대한
Rereading / brings / renewed understanding / of the books.
　　　　　　　　　　　과거분사 ↗

304
고1 9월
응용

Individuals should make **written** notes on the positive comments about their own personal contributions.

305
고1 3월
응용

그것은　기반으로 한다　　　St. Benno and the Frog라고 불리는 이야기를
It / is based / on a story 〈**called** St. Benno and the Frog〉.
　　　　　　　　　↖ 과거분사구

306
고1 3월

This is the daily experience of parents **troubled by constant quarreling between toddlers**.
quarreling 싸움　toddler 걸음마를 배우는 아기

307
고1 6월
응용

The repeated experience brings back the initial emotions caused by the book.

1

그는	~이었다	책임감 있는 사람	무책임한 아이를 다루는

2

이것은	~이다	부모들의 일상적인 경험	끊임없는 싸움으로 문제를 겪고 있는

걸음마를 배우는 아기들 사이의

- to부정사(구)는 동사에 다양한 의미를 더해 주는 부사 역할을 한다.
- (in order/so as+)to부정사는 목적을 나타내며 '~하기 위해서/~하도록'으로 해석한다.

대표 문장
308
고1 6월

당신은 　 필요하지 않다 　 복잡한 문장들이 　 생각을 표현하기 위해
You / don't need / complex sentences / **to express** ideas.
　　　　　　　　　　　　　　　　　to부정사구(목적)

309
고1 3월
응용

Sir Isaac Newton had to invent a new branch of mathematics (calculus) **to solve the problems**.

branch (지식) 분야　calculus 미적분(학)

310
고1 3월
응용

Consumers are usually motivated to use a lot of strategies to reduce risk.

★ to use는 보어 역할을 하는 to부정사이다.

☆ 311
고1 6월

To rise, a fish must reduce its overall density, and most fish do this with a swim bladder.

overall 전체의, 총　bladder 부레

312
고1 3월
응용

They change their names to reflect their position within their society.

reflect 반영하다

313
고1 9월
응용

In order to grow, fingernails need glucose.

fingernail 손톱

- 판단의 근거(~하다니)나 감정의 원인(~해서/~하게 되어서)을 나타내는 to부정사는 부사 역할을 한다.

314
고1 9월
응용

그는 　 어리석을 것이다 　 그의 기존의 비전을 고수하다니 　 새로운 데이터 앞에서
He / will be foolish / **to stick** to his old vision / in the face of new data.
　　　판단　　　　　　　　to부정사구(판단의 근거)

315
고1 3월
응용

He was happy **to send each of them a check for a hundred dollars**.

316
고1 3월

We are excited to announce the opening of the newest Sunshine Stationery Store in Raleigh, North Carolina!

stationery store 문구점

317
고1 6월

As the only new kid in the school, she was pleased to have a lab partner.

• 결과를 나타내는 to부정사는 '~해서 (결국) …하다'로 해석한다.

318
고1 3월

Moinee는　　　별에서 떨어졌다　　　Tasmania로　　　그래서 죽었다
Moinee / fell out of the stars / down to Tasmania / **to die**.
　　　　　　　　　　　　　　　　　　to부정사구(결과)

☆ **319**
고1 3월
응용

Toby Long turned around **to find an Ethiopian boy standing behind him**.

문장구조 + 영작하기

1

자라기 위해서,	손톱은	필요하다	글루코오스가

2

학교에서 유일한 전학생으로서,	그녀는	기뻤다	실험실 파트너를 갖게 되어서

- to부정사(구)는 형용사, 부사를 수식하는 부사 역할을 한다.
- 「형용사+to부정사」의 형태로 쓰이고, '~하기에 …한'으로 해석한다.

대표 문장
320
고1 6월
응용

Joshua tree는　～이다　먹기 힘든　오늘날의 기준으로는
Joshua trees / are / hard ⟨to eat⟩ by today's standards.
└─ to부정사

321
고1 3월

A single decision is easy **to ignore**.

single 하나의

322
고1 6월
응용

These microplastics are very difficult to measure.

323
고1 9월
응용

Overeating in those times was essential to ensure survival.

overeating 과식

☆ **324**
고1 9월
응용

Studying history can make you more knowledgeable or interesting to talk to.

- 「형용사/부사+enough+to부정사」는 '~할 정도로 충분히 …한/하게'로 해석한다.
- 「too+형용사/부사+to부정사」는 '~하기에는 너무 …한/하게, 너무 …해서 ~할 수 없다'로 해석한다.

325
고1 6월

Amy는　너무 놀라서 고개를 끄덕이는 것 외에 어떤 것도 할 수 없었다
Amy / was **too** surprised ⟨**to do** anything but nod⟩.
too+형용사+to부정사

326
고1 9월
응용

The backyard grass was **too** high **to mow**.

327

고1 6월
응용

Birdseye's curiosity was strong enough to lift him out of the routine way of seeing things.

curiosity 호기심 life ~ out of ~을 …에서 벗어나게 하다

- 문장 전체를 수식하는 to부정사구는 관용적 표현으로 쓰이며, 독립적인 의미를 나타낸다.
  - to tell the truth: 사실대로 말하자면
  - to be honest[frank] with you: 솔직히 말해서
  - to be specific: 구체적으로 말하자면
  - to make matters worse: 설상가상으로
  - to begin[start] with: 우선, 무엇보다도
  - to name a few things: 몇 가지를 언급하자면

328

고1 3월

좀 더 구체적으로 말해서　　　　보통 로봇은　　　보인다　　　이미 정해진

To be a bit more specific, [the normal robot / shows / deterministic behaviors].

to부정사구(관용 표현)

329

고1 6월

With the artificial intelligence boom of the 2010s, computers can now recognize faces, translate languages, take calls for you, write poems, and beat players at the world's most complicated board game, **to name a few things**.

artificial intelligence 인공 지능 boom 급속한 발전, 붐

**문장구조
+
영작하기**

1

하나의 결정은	~이다	쉬운	무시하기

2

뒤뜰의 잔디는	너무 길었다	깎기에

- 분사구문은 문장 앞이나 중간 또는 뒤에 쓰여 문장의 의미를 더해 주는 부사 역할을 한다.
- 현재분사가 이끄는 분사구문은 '능동'을 나타내며, 문장과의 관계에 따라 여러 의미로 해석한다.
  - 시간: ~할 때/~하고 나서
  - 이유: ~하기 때문에/~해서
  - 조건: ~라면/~한다면
  - 양보: 비록 ~일지라도
  - 동시동작: ~하면서/~하는 동안
  - 연속동작: ~하고 나서 …하다

대표 문장

330
고1 3월

Dorothy는　말했다　그녀에게　흐느껴 울면서 코를 훌쩍거리며
Dorothy / **told** / her, ⟨**sobbing and sniffing**⟩.
　S　　　V　　　　　　　분사구문(동시동작)

331
고1 3월
응용

The animal was protecting me, **lifting me toward the surface**.

protect 보호하다

332
고1 6월
응용

Your feet can actually be different sizes at different times of the day, getting larger and returning to "normal" by the next morning.

333
고1 3월

Seeing this, everyone was surprised.

334
고1 9월

One student chose to avoid the obstacles, taking the easier path to the end.

path 길

335
고1 3월
응용

Hamwi rolled up a waffle and put a scoop of ice cream on top, creating one of the world's first ice-cream cones.

a scoop of 한 숟가락의

336
고1 3월
응용

Wanting to make the best possible impression, the American company sent its most promising young executive.

- 「(Being+)P.P. ~」의 분사구문은 '수동'을 나타내며, 문장과의 관계에 따라 여러 의미로 해석한다.
- 「Having+p.p. ~」의 분사구문은 '문장의 시제보다 앞선 시제'를 나타낸다.

337
고1 9월
응용

과학적 지식으로 무장하고 나서　　　　　사람들은　만든다　　　도구와 기기를
〈**Armed** with scientific knowledge〉, **people** / **build** / tools and machines.
　　　분사구문(수동·연속동작)　　　　　　　　　S　　　　V

338
고1 3월

Faced with the choice of walking down an empty or a lively street, most people would choose the street with life and activity.

339
고1 9월

Consider the mind of a child: having experienced so little, the world is a mysterious and fascinating place.

mysterious 신비한

340
고1 9월

After having spent that night in airline seats, the company's leaders came up with some "radical innovations."

★ 의미를 명확하게 하기 위해 분사구문 앞에 접속사를 쓰는 경우도 있다.

문장구조 + 영작하기

1

이것을 보고 나서,	모든 사람이	놀랐다

2

생각해 보라	아이의 마음을:	경험한 것이 거의 없어서,	세상은

~이다	신비하고 흥미로운 장소

구조+해석 수식어(구)와 수식 대상에 표시한 뒤, 문장을 해석하시오.

0
고1 3월

In *New Man*, / Gary Oliver / writes / about a difficult decision 〈made by professional
baseball player Tim Burke / concerning his family〉.

과거분사구(명사구 수식)

concerning ~에 관해

→ 'New Man'에서, Gary Oliver는 프로 야구 선수였던 Tim Burke가 자신의 가정에 관해 내렸던 어려운 결정에 대해 적고 있다.

1
고1 6월
응용

In order to learn language, an infant must make sense of the contexts.

infant 유아   make sense of ~을 이해하다

→ _____

2
고1 6월

In early 19th century London, a young man named Charles Dickens had a strong
desire to be a writer.

desire 열망

→ _____

3
고1 3월
응용

The Amondawa tribe, living in Brazil, does not have a concept of time.   concept 개념

→ _____

4
고1 6월
응용

A spectator stands up to get a better view, and a chain reaction follows.   spectator 관중
reaction 반응

→ _____

5
고1 9월

He was eager to go see her, but he was too poor to buy a ticket for a long-distance
bus to his hometown.

be eager to ~을 하고 싶어 하다

→ _____

6
고1 6월
응용

When given too often for too little, it kills the impact of real praise.   impact 영향
praise 칭찬

→ _____

7
고1 6월

Lying on the floor in the corner of the crowded shelter, surrounded by bad smells,
I could not fall asleep.

shelter 대피소

→ _____

구문+문법 다음 문장에서 **틀린** 곳을 찾아 바르게 고치고, 빈칸을 완성하시오.

0
고1 6월

In philosophy, the best way ~~understand~~ *to understand* the concept of an argument is to contrast it with an opinion.

philosophy 철학

→ to부정사구가 명사를 수식하는 형용사로 쓰일 때에는 「명사+to부정사」 형태로 쓰인다.

1
고1 6월
응용

He told his boss of his plans leaving the house-building business. house-building 주택 건축

→ 명사구 his plans를 꾸며 주는 형용사적 수식어 역할을 하는 [   ](이)가 와야 한다.

2
고1 9월
응용

Learning to ski is one of the most embarrassed experiences.

→ '당혹감을 주는'의 의미로 명사 experiences와 능동 관계를 이루도록 [   ](을)를 써야 한다.

3
고1 3월
응용

Getting your new toaster, simply take your receipt and the faulty toaster to the dealer.

receipt 영수증 faulty 고장 난

→ '새 토스터를 받기 위해서'라는 [   ](을)를 나타내는 부사적 수식어로 [   ](을)를 써야 한다.

4
고1 6월
응용

They can do enough well to earn merit badges. merit badge 칭찬 배지

→ '~를 받을 만큼 충분히 잘'의 의미를 나타낼 수 있는 to부정사 표현은 「[   ]+to부정사」 형태이다.

5
고1 6월
응용

Freshly caught fish and duck, freezing quickly in such a fashion, kept their taste and texture.

freshly 갓 ~한 fashion 방식 texture 질감

→ '급속히 얼려졌을 때'의 의미로 '수동'을 나타내는 분사구문의 형태는 [   ]이다.

PART

4

문장 속 문장,
절의 역할

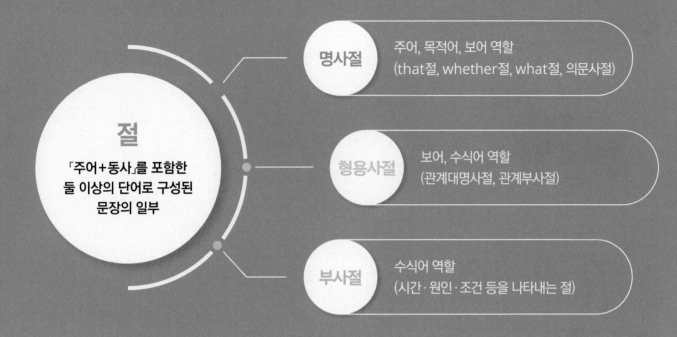

절

「주어+동사」를 포함한
둘 이상의 단어로 구성된
문장의 일부

명사절 주어, 목적어, 보어 역할
(that절, whether절, what절, 의문사절)

형용사절 보어, 수식어 역할
(관계대명사절, 관계부사절)

부사절 수식어 역할
(시간·원인·조건 등을 나타내는 절)

UNIT 8 절의 수식어 역할

목표 구문 한눈에 보기

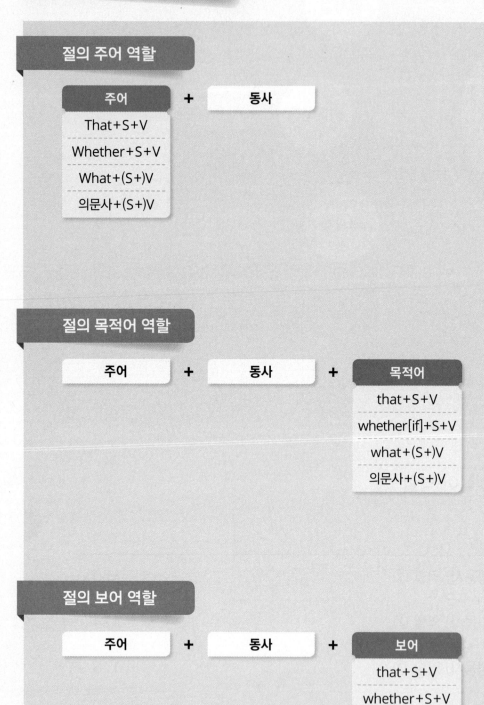

절의 주어 역할

주어	+	동사

주어
That+S+V
Whether+S+V
What+(S+)V
의문사+(S+)V

절의 목적어 역할

주어	+	동사	+	목적어

목적어
that+S+V
whether[if]+S+V
what+(S+)V
의문사+(S+)V

절의 보어 역할

주어	+	동사	+	보어

보어
that+S+V
whether+S+V
what+(S+)V
의문사+(S+)V

01	multitask	동	동시에 여러 일을 하다	26	factor★	명 요인
02	at once		동시에	27	determine	동 결정하다
03	messy	형	지저분한	28	unbelievable	형 믿을 수 없는
04	subject	명	문제, 사안	29	indicate	동 보여주다
05	bothersome	형	성가신	30	great ape	명 유인원
06	form	명	형태	31	distinguish	동 구분하다
07	static electricity		정전기	32	false	형 잘못된
08	inherit	동	물려받다	33	airline	명 항공사
09	keep ~ going		~가 견디게 하다	34	researcher★	명 연구자
10	passion	명	열정	35	theory	명 이론
11	visual	형	시각적인	36	measure	동 측정하다
12	override	동	~에 우선하다	37	expect★	동 기대하다
13	perhaps★	부	아마	38	outcome★	명 결과
14	approach	동	접근하다	39	insect	명 곤충
15	impact	동	영향을 주다	40	different	형 여러 가지의
16	directly	부	직접적으로	41	depending on	~에 따라
17	be related to		~와 관계가 있다	42	base ~ on ...	…에 근거를 두다
18	be good for		~에 좋다	43	probably	부 아마
19	promote	동	증진시키다	44	few★	형 거의 없는
20	benefit	명	이점	45	custom★	명 관습
21	instruction	명	수업	46	field★	명 분야
22	statement	명	말, 진술	47	suggestion	명 의견
23	objective	형	객관적인	48	virtue	명 미덕
24	decade	명	10년	49	midpoint	명 중간 지점
25	century	명	세기	50	emotion	명 감정

1 절의 주어 역할

대표 문장
고1 3월 응용

당신이 동시에 여러 가지 일을 할 수 있다는 것은   ~일지도 모른다 사실인

That you can multitask at once > **may be** > **true**.

S(That절: That+S+V ~)   V

2 절의 목적어 역할 ①

대표 문장
고1 3월 응용

학생들은   틀림없이 알 것이다   당신이 그들에 대해 신경 쓴다는 것을

The students > **must know** > **that** you care about them.

S   V   O(that절: that+S+V ~)

3 절의 목적어 역할 ②

대표 문장
고1 3월 응용

청중의 피드백은   흔히 보여준다   청중들이 연사의 생각을 이해하는지 아닌지를

Audience feedback > **often indicates** > **whether** listeners understand the

S   V   O(whether절: whether+S+V ~)

speaker's ideas.

4 절의 보어 역할

대표 문장
고1 3월

그것이   ~이다   Newton과 여타 과학자들을 매우 유명하게 만든 것

That > **is** > **what** made Newton and the others so famous.

S   V   C(what절: what+V ~)

▶ That절, Whether절, What절, 의문사절은 주어 역할을 할 수 있다.

명사절 주어
- 접속사 that/whether, 관계대명사 what, 의문사가 이끄는 절은 명사절로, 문장의 주어 자리에 올 수 있다.
- 명사절을 이끄는 주어는 단수 취급하여 단수 동사를 쓴다.

That절(That+S+V ~)	(That절의 주어)가 ~라는 것은/~하다는 것은	〈확실한 정보〉
Whether절(Whether+S+V ~)	(Whether절의 주어)가 ~인지(아닌지)는	〈불확실한 정보〉
What절(What+(S+)V ~)	(What절의 주어)가 ~하는 것은	〈불완전한 구조〉
의문사절(Who[What/Which/When/Where/Why/How]+(S+)V ~)	누가[무엇이/어느 쪽이/언제/어디서/왜/어떻게] ~하는지는	

★ 명사절이 주어로 쓰일 때, 주로 가주어 It을 문장 앞에 두고 명사절은 문장 뒤로 보낸다. LINK PART 5 | UNIT 9-2

▶ that절과 what절은 목적어 역할을 할 수 있다.

명사절 목적어
- 접속사 that과 관계대명사 what이 이끄는 절은 명사절로, 문장의 목적어 자리에 올 수 있다.

| that절(that+S+V ~) | (that절의 주어)가 ~라는 것을/~하다는 것을/~라고 |
| what절(what+(S+)V ~) | (what절의 주어)가 ~하는 것을 |

★ that절이 목적어로 쓰일 때, that은 생략할 수 있다.

▶ whether[if]절과 의문사절은 목적어 역할을 할 수 있다.

- 접속사 whether[if]와 의문사가 이끄는 절은 명사절로, 목적어 자리에 올 수 있다.

| whether[if]절(whether+S+V ~) | (whether[if]절의 주어)가 ~인지(아닌지)를 |
| 의문사절(who[what/which/when/where/why/how]+(S+)V ~) | 누가[무엇이/어느 쪽이/언제/어디서/왜/어떻게] ~하는지를 |

★ 의문사 how 뒤에는 형용사/부사가, what과 which 뒤에는 명사(구)가 올 수 있다.

▶ that절, whether절, what절, 의문사절은 보어 역할을 할 수 있다.

명사절 보어
- 접속사 that/whether, 관계대명사 what, 의문사가 이끄는 절은 명사절로, 문장의 보어 자리에 올 수 있다.

that절(That+S+V ~)	(that절의 주어)가 ~하다는 것(이다)
whether절(Whether+S+V ~)	(whether절의 주어)가 ~인지(이다)
what절(What+(S+)V ~)	(what절의 주어)가 ~한 것(이다)
의문사절(의문사+(S+)V ~)	누가[무엇이/어느 쪽이/언제/어디서/왜/어떻게] ~하는지(이다)

- 접속사 That이 이끄는 명사절(「That+S+V ~」)은 문장의 주어 자리에 올 수 있고, '~라는 것은/~하다는 것은'으로 해석한다.
- 접속사 Whether가 이끄는 명사절(「Whether+S+V ~」)은 문장의 주어 자리에 올 수 있고, '~인지(아닌지)는'으로 해석한다.
- That절은 확실한 정보를 나타내는 반면, Whether절은 불확실한 정보를 나타낸다.
- 명사절 주어는 단수 취급하고, 명사절 주어 대신 가주어 It을 문장 앞에 쓰는 것이 일반적이다.

대표 문장

341
고1 3월
응용

당신이 동시에 여러 가지 일을 할 수 있다는 것은   ~일지도 모른다 사실인
[**That you can multitask at once**] **may be** / **true**.
 S(That절: That+S+V ~)   V

(= **It** may be true **that you can multitask at once**.)

342
고1 6월
응용

Whether I liked living in a messy room or not was another subject.

- 관계대명사 What이 이끄는 명사절(「What+(S+)V ~」)은 문장의 주어 자리에 올 수 있고, '~하는 것은'으로 해석한다.
- What이 이끄는 절은 what이 절 내의 주어, 목적어 또는 보어의 역할을 하는 불완전한 구조이다.

343
고1 9월
응용

그들이 가장 성가신 것으로 여기는 것은   ~이다   시간
[**What they find most bothersome**] **is** / **time**.
 S(What절: What+S+V ~)   V

344
고1 9월

What you have done there is to create a form of electricity called static electricity.

345
고1 6월

What you inherited and live with will become the inheritance of future generations.

346
고1 3월
응용

What kept all of these people going was their passion for their subject.   passion 열정

- 의문사가 이끄는 명사절(「Who[What/Which/When/Where/Why/How]+(S+)V ~」)은 문장의 주어 자리에 올 수 있다.
- 의문사절 주어는 의문사에 따라 '누가[무엇이/어느 쪽이/언제/어디서/왜/어떻게] ~하는지는'으로 해석한다.

347
고1 9월
응용

어떻게 시각적인 입력 정보가 맛과 냄새에 우선할 수 있는가는 　　　아마 ~일 것이다 　　놀라운
[**How** visual input can override taste and smell] **is perhaps** / **surprising**.
　　　　S(의문사절: How+S+V ~)　　　　　　　　　　　　　　 V

(= **It** is perhaps surprising **how visual input can override taste and smell**.)

348
고1 9월
응용

How a person approaches the day impacts everything else in that person's life.

apporoach 접근하다
impact 영향을 주다

1	내가 좋아했는지	어질러진 방에서 지내는 것을	아닌지는	~이었다	다른 문제

2	어떤 사람이 하루를 어떻게 접근하는가는	영향을 준다	다른 모든 부분에	그 사람의 삶의

- 접속사 that이 이끄는 명사절(「that+S+V ~」)은 문장의 목적어 자리에 올 수 있고, '~라는 것을/~하다는 것을/~라고'로 해석한다.
- 주로 동사 believe, find, hear, hope, know, say, think 등의 목적어로 쓰인다.

대표 문장

349
고1 3월
응용

학생들은　　틀림없이 알 것이다　　당신이 그들에 대해 신경 쓴다는 것을
The students / must know [that you care about them].
　　　　S　　　　　　　V　　　　　O(that절: that+S+V ~)

350
고1 3월

I have found **that most people like to hire people just like themselves**.　　hire 고용하다

351
고1 3월
응용

We believe that the quality of the decision is directly related to the time.　　quality 질

352
고1 3월

In life, they say that too much of anything is not good for you.　　be good for ~에 좋다

353
고1 6월

By promoting the health benefits of swimming, she hopes that more students will get healthy through her instruction.

- that절이 목적어로 쓰일 때 that은 생략할 수 있다.

354
고1 3월

우리는　생각한다　　　그러한 말들이 객관적이라고　　　그러나 그것들은　그렇지 않다
We / think [such statements are objective], / but they / aren't.
　S　　V　　　　O(that절: (that+)S+V ~)

355
고1 9월

I believe **the second decade of this new century is already very different**.　　decade 10년
century 세기

- 관계대명사 what이 이끄는 명사절(「what+(S+)V ~」)은 문장의 목적어 자리에 올 수 있다.
- what절 목적어는 '(S가) ~하는 것을'로 해석한다.

356
고1 3월
응용

많은 사람들은 생각한다 미래에 일어날 수 있는 것을 과거의 실패에 근거하여
Many people / think of [what might happen in the future] based on past failures.
　　S　　　　　V　　　　　　O(what절: what+V ~)

357
고1 6월
응용

Many factors determine **what we should do**.　　　　　factor 요인　determine 결정하다

358
고1 3월
응용

After more thought, he made what many considered an unbelievable decision.
　　　　　　　　　　　　　　　　　unbelievable 믿을 수 없는

359
고1 3월
응용

Just think of what you can learn from each other.

☆ **360**
고1 3월
응용

Don't ever tell me what you think.

★ 명사절은 문장의 직접목적어 자리에도 올 수 있다.

문장구조 + 영작하기

1	나는 믿는다	두 번째 10년은	이 새로운 세기의	이미 매우 다르다고

2	많은 요인들이	결정한다	우리가 해야 할 것을

- 접속사 whether와 if가 이끄는 명사절(「whether[if]+S+V ~ (or not)」)은 문장의 목적어 자리에 올 수 있고, '~인지(아닌지)를'로 해석한다.
- 주로 동사 ask, tell, wonder 등의 목적어로 쓰인다.

대표 문장

361
고1 3월
응용

청중의 피드백은   흔히 보여준다   청중들이 연사의 생각을 이해했는지 아닌지를
Audience feedback / often indicates [**whether** listeners understand the speaker's
　　　　S　　　　　　　　V　　　　　　　　　O(whether절: whether+S+V ~)
ideas].

☆ **362**
고1 9월
응용

Great apes can distinguish **whether or not people have a false belief about reality**.

★ whether 뒤에는 or not이 바로 올 수 있지만, if는 「if+S+V ~ or not」의 형태만 가능하다.

363
고1 3월
응용

I asked **if she worked with the airline**.　　　　　　　　　　　　　airline 항공사

364
고1 3월
응용

I wonder **if that little boy will get one of the ten thousand shirts**.

- 의문사가 이끄는 명사절(「의문사+(S+)V ~」)은 문장의 목적어 자리에 올 수 있다.
- 의문사절 목적어는 의문사에 따라 '누가[무엇이/어느 쪽이/언제/어디서/왜/어떻게] (주어)가 ~하는지를'로 해석한다.

365
고1 6월
응용

한 연구에서   연구자들은   살펴보았다   사람들이 인생의 과제에 어떻게 대응하는지를
In one study, / researchers / looked at [**how** people respond to life challenges].
　　　　　　　　　　　S　　　　　　V　　　　　　O(의문사절: how+S+V ~)

366
고1 9월

This theory could explain in part **why time feels slower for children**.　　theory 이론

367
고1 3월
응용

Someone had to decide when the class would be held.

☆ 368
고1 3월
응용

Tell me what happened.

- 의문사 how가 이끄는 명사절은 「how+형용사/부사+(S+)V」 형태로 쓸 수 있다.
- 의문사 what[which]이 이끄는 명사절은 「what[which]+명사(구)+(S+)V」 형태로 쓸 수 있다.

369
고1 6월
응용

나이테는 알려줄 수 있다 우리에게   그 나무가 몇 살인지를   그리고 날씨가 어떠했었는지를
Tree rings / can tell / us [**how** old the tree is], / and [**what** the weather was like].
　　S　　　　V　　　IO　DO₁(의문사절: how+형용사+S+V)　　　　DO₂(의문사절: what+S+V ~)

370
고1 6월
응용

The researchers measured **how much these participants expected a positive outcome**.

measure 측정하다

371
고1 9월
응용

He asked what kind of insects they were.

insect 곤충

문장구조 + 영작하기

1

나는	물어보았다	그녀가 근무하는지를	그 항공사에

2

그 연구자들은	측정했다	얼마나 많이	이 실험 참가자들이	기대했는지를

긍정적인 결과를

- 접속사 whether, 관계대명사 what, 의문사가 이끄는 명사절은 전치사의 목적어 역할을 할 수 있다.

372
고1 6월

'near'와 'far' 같은 단어들은 　　　 의미할 수 있다 　　　 여러 가지를 　　　 당신이 어디에 있는지에 따라
Words like 'near' and 'far' / can mean / different things / depending on [where you
전치사의 목적어₁(의문사절:
그리고 당신이 무엇을 하는지에 따라
are] and [what you are doing].
where+S+V)　전치사의 목적어₂(의문사절: what+S+V)

373
고1 3월

Do not base your decision on **what yesterday was**.

374
고1 6월
응용

Probably few of them had thoughts about how this custom might relate to other fields.

☆ **375**
고1 3월
응용

You may not care about whether you start your new job in June or July.

★ that절은 전치사의 목적어 자리에 올 수 없다.

3	근거하지 마라	당신의 결정을	과거에 어땠는지에

- 접속사 that과 whether, 관계대명사 what, 의문사가 이끄는 명사절은 문장의 보어 자리에 올 수 있다.
- 명사절 보어는 주어를 보충 설명하는 주격보어이며, 주로 be동사 뒤에 쓰인다.

대표 문장

376
고1 3월

그것이　~이다　　　　　Newton과 여타 과학자들을 매우 유명하게 만든 것
That / **is** [**what** made Newton and the others so famous].
S　　V　　　　　　C(what절: what+V ~)

377
고1 6월
응용

Aristotle's suggestion is **that virtue is the midpoint**.

suggestion 의견
virtue 미덕

378
고1 6월
응용

An important question is **whether emoticons help Internet users to understand emotions in online communication**.

**문장구조
+
영작하기**

1

중요한 문제는	~이다	이모티콘들이 도움을 주는지	인터넷 사용자들이

감정을 이해하는 데	온라인상의 의사소통에서

구조+해석 S, O, C 역할을 하는 절에 표시한 뒤, 문장을 끊어 읽고 해석하시오.

0
고1 3월

Remember [that patience is always of the essence].
　　　　　　O(that절: that+S+V ~)
of the essence 가장 중요한

→ 인내가 항상 가장 중요하다는 것을 기억해라.

1
고1 6월
응용

People get what they desire with their hard-earned money.
hard-earned 힘들게 번

→ _____

2
고1 3월

Show how the gentle wind touches the edge of her silky, brown hair.
gentle 부드러운
edge 끝

→ _____

3
고1 6월

They don't feel they have to support their opinions with any kind of evidence.
evidence 증거

→ _____

4
고1 9월
응용

No one knows what colors dinosaurs actually were.

→ _____

5
고1 6월
응용

What this means is that the evidence is based on the personal opinions from a small sample.
be based on ~에 근거하다

→ _____

6
고1 3월
응용

She wondered why white people had all kinds of nice things.

→ _____

7
고1 3월
응용

He asked if he could have Toby's shirt.

→ _____

구문+문법 다음 문장에서 틀린 곳을 찾아 바르게 고치고, 빈칸을 완성하시오.

0
고1 6월
응용

                                    what
The good coach points out that could be improved, but will then tell you how you should perform.

point out 지적하다

→ 동사 points out 뒤의 절은 목적어로 쓰인 명사절이고 불완전한 구조이므로, [관계대명사 what] 을 써야 한다.

1
고1 3월

Ideas about how disclosure much is appropriate vary among cultures.

disclosure 정보 공개   vary 다르다

→ how ~ appropriate은 [   ](으)로 쓰인 명사절로, 「how+[   ]」 형태로 써야 한다.

2
고1 3월
응용

Do you really know what are you eating?

→ 동사 know 뒤의 절은 목적어로 쓰인 명사절이다. 의문사가 이끄는 명사절은 「[   ]」 형태로 써야 한다.

3
고1 3월
응용

The fact does not mean what she has fully forgiven you.

→ 동사 mean 뒤의 절은 [   ](으)로 쓰인 명사절이고 완전한 구조이므로, [   ](을)를 써야 한다.

4
고1 6월
응용

Amy wondered that Mina chose her.

→ 동사 wondered 뒤의 절은 목적어로 쓰인 명사절이고, 불확실한 정보를 나타내므로, [   ](을)를 써야 한다.

5
고1 6월
응용

What you may not appreciate is what the quality of light may be important.

appreciate 인식하다

→ 동사 is 뒤의 절은 [   ](으)로 쓰인 명사절이고 완전한 구조이므로, [   ](을)를 써야 한다.

UNIT 8 절의 수식어 역할

관계대명사절의 수식어(형용사) 역할

명사	+	수식어 [절]
		who/which/that+V ~
		whose+명사+V ~
		who(m)/which/that+S+V ~

관계부사절의 수식어(형용사) 역할

명사	+	수식어 [절]
the time		when+S+V ~
the place		where+S+V ~
the reason		why+S+V ~
(the way)		how+S+V ~

콤마 뒤 관계사절

명사(구)/절	+	콤마(,)	+	관계사절
				who+V ~
				which(+S)+V ~
				when+S+V ~
				where+S+V ~

절의 수식어(부사) 역할

수식어 [절]	+	절
When/While/Since+S+V ~		
If/Unless+S+V ~		
Although/Though/While+S+V ~		
Because/Since/As+S+V ~		

아는 단어 ✓
초빈출 어휘 ★

01	clinically	부 임상적으로	26	float	동 떠다니다
02	appropriate	형 적절한	27	friction	명 마찰
03	self-confidence	명 자신감	28	critical	형 중요한
04	barrier	명 장벽, 장애물	29	capture	동 촬영하다 명 포착
05	revive	동 소생시키다	30	chemistry	명 화학
06	cooperation	명 협력	31	rate	명 속도
07	praise	명 칭찬	32	ray	명 광선
08	example	명 본보기, 예	33	separate	동 분리되다
09	legend	명 전설	34	reject	동 거절하다
10	make sense of	~을 이해하다	35	be likely to★	~할 가능성이 있다
11	exaggerate	동 과장하다	36	disturb	동 방해하다
12	decrease★	동 줄다, 감소하다	37	anxiety★	명 불안
13	deal with	~을 다루다	38	encourage★	동 격려하다
14	faulty	형 고장 난	39	forward	부 앞으로
15	submit	동 제출하다	40	particular★	형 특정한
16	trail	명 숲길	41	steadily	부 꾸준히
17	attract	동 끌어모으다	42	compared to	~에 비해
18	complement	동 보완하다	43	previous★	형 이전의
19	scarce	형 부족한	44	storyline	명 줄거리
20	means	명 수단	45	particle	명 (아주 작은) 조각
21	generalization	명 일반화	46	instruction	명 설명
22	consume	동 소비하다	47	essential	형 필수적인
23	severely	부 호되게	48	exhausted	형 기진맥진한
24	argue★	동 주장하다	49	sprain	동 삐다, 접질리다
25	formal	형 형식적인	50	ankle	명 발목

1 절의 수식어(형용사) 역할 ①·②

대표 문장
고1 3월

사람은	결코 위험을 무릅쓰지 못하는	배울 수 없다	아무것도
A person	who can never take a risk	can't learn	anything.
S	⤷ 관계대명사절(who+V ~)	V	O

2 절의 수식어(형용사) 역할 ③

대표 문장
고1 9월

Hike the Valley는	~이다	하이킹 프로그램	매주 토요일 우리가 참가자들을 지역 숲길로 안내하는
Hike the Valley	is	a hiking program	where we guide participants through
S	V	C	⤷ 관계부사절(where+S+V ~)

local trails every Saturday.

3 콤마 뒤 관계사절

대표 문장
고1 3월 응용

아시아로 가는 비행에서	나는	만났다	Debbie를	(그런데) 그녀는 기장으로부터 환영을 받았다
On a flight to Asia,	I	met	Debbie,	who was welcomed by the pilot.
M	S	V	선행사(O)	관계대명사절(who+V ~)

4 절의 수식어(부사) 역할 ①·②·③

대표 문장
고1 9월

화학에 대한 그녀의 흥미는	시작되었다	그녀가 단지 10살이었을 때
Her interest in chemistry	started	when she was just ten years old.
S	V	시간의 부사절(when+S+V ~)

▶ 관계대명사가 이끄는 절은 명사를 뒤에서 수식하는 형용사 역할을 할 수 있다.

관계대명사절
- 관계대명사는 「접속사＋대명사」의 역할을 하며, 관계대명사가 이끄는 절은 명사(선행사)를 뒤에서 수식한다.
- 선행사와 관계대명사절 내에서의 역할(격)에 따라 형태와 의미가 달라진다.

격＼선행사	사람	동물/사물	모두	관계대명사절의 구조와 해석	
주격	who	which	that	+V ~	V하는 (선행사)
소유격	whose	whose	–	+명사+V ~	(선행사)의 명사가 V하는
목적격	who(m)	which	that	+S+V ~	S가 V하는 (선행사)

▶ 관계부사가 이끄는 절은 명사를 뒤에서 수식하는 형용사 역할을 할 수 있다.

관계부사절
- 관계부사는 「접속사＋부사」의 역할을 하며, 관계부사가 이끄는 절은 명사(선행사)를 뒤에서 수식하고, 선행사에 따라 구분해서 쓴다.
- 관계부사절은 관계대명사절과 달리, 완전한 문장 구조를 이룬다.

	선행사	관계부사	관계부사절의 구조와 해석	
시간	the time	when		
장소	the place	where	+S+V ~	S가 V하는 (시간/장소/이유/방법)
이유	the reason	why		
방법	(the way)	how		

★ 선행사 the way와 관계부사 how는 함께 쓸 수 없고, 둘 중 하나는 생략된다.

▶ 콤마(,)와 함께 오는 관계사절은 앞의 내용을 보충 설명하는 역할을 할 수 있다.

콤마 뒤 관계사절
- 선행사를 수식하는 관계사절과 달리, 콤마 앞의 (대)명사/어구/절에 추가적인 정보를 덧붙인다.
- 콤마 뒤 관계대명사절은 「접속사(and, but 등)＋(대)명사」로 바꿔 쓸 수 있다. (that 불가)
- 콤마 뒤 관계부사절은 「접속사(and, but 등)＋부사(구)」로 바꿔 쓸 수 있다. (why, how 불가)

▶ 부사절은 문장의 앞/뒤에서 문장 전체를 수식하는 부사 역할을 할 수 있다.

부사절
- 부사절 접속사가 이끄는 완전한 구조의 절로, 문장의 앞 또는 뒤에 쓰여 문장의 의미를 풍부하게 해 준다.
- 부사절을 이끄는 접속사는 문맥에 따라 시간, 조건, 목적, 양보, 대조, 원인, 결과 등으로 쓰인다.

시간	when(~할 때), while(~하는 동안), since(~한 이래로), as(~할 때/~하면서), until(~할 때까지), before(~하기 전에), after(~한 후에), as soon as(~하자마자)
조건	if(~한다면), unless(~하지 않는다면), in case(~인 경우에 대비해서)
목적	so that/in order that(~하기 위해서/~하도록)
양보, 대조	although/(even) though(비록 ~이지만), while(~인 반면에)
원인	because/since/as(~이기 때문에)
결과	so[such] ~ that ...(아주 ~해서 …하다)

- 주격 관계대명사 who/which/that이 이끄는 절은 앞에 있는 선행사를 수식한다.
- 「who/which/that+V ~」의 형태로 관계대명사가 절 안에서 주어 역할을 하며, 'V하는 (선행사)'로 해석한다.
- 주격 관계대명사절의 동사는 선행사의 수에 일치시킨다.

대표 문장

379
고1 3월

사람은　　　결코 위험을 무릅쓰지 못하는　　　배울 수 없다　　아무것도
A person [who can never take a risk] can't learn / anything.
　　S　　　└ 관계대명사절(who+V ~)　　　　　V　　　　O

380
고1 9월

Someone **who is only clinically dead** can often be brought back to life.
bring back to life 되살리다

381
고1 3월
응용

Clothing that is appropriate for exercise can improve your exercise experience.

☆**382**
고1 3월
응용

There are a few things about dams that are important to know.

383
고1 3월
응용

These are fantastic behaviors that teach brilliant self-confidence.
brilliant 훌륭한

384
고1 3월
응용

Many people face barriers that prevent such choices.
prevent 가로막다

385
고1 6월
응용

The leopard sharks are among the sharks which are not considered as a threat to humans.
among ~ 중 하나　consider 여기다　threat 위협

- 소유격 관계대명사 whose가 이끄는 절은 선행사를 수식한다.
- 「whose+명사+V ~」의 형태로 관계대명사가 절 안에서 소유격 대명사 역할을 하며, '(선행사)의 명사가 V하는'으로 해석한다.

386
고1 9월
응용

의사들은　소생시킬 수 있다　많은 환자들을　　　　(그들의) 심장이 멎은
Doctors / **can revive** / **many patients** [**whose** hearts have stopped beating] **by**
　　S　　　　V　　　　　O　　　　　　└ 관계대명사절(whose+명사+V ~)

여러 기술들로
various techniques.

387
고1 3월
응용

The researchers created several apparent emergencies **whose solution required cooperation between the two groups**.

solution 해결

388
고1 6월
응용

He was an economic historian whose work has centered on the study of business history.

center on ~에 집중하다

**문장구조
+
영작하기**

1	많은 사람들은	~에 부딪힌다	장벽들	그러한 선택들을 가로막는

2	그는	~였다	경제 사학자	(그의) 연구가 집중되어 있는

경영사 연구에

UNIT 8 / 2 절의 수식어(형용사) 역할 ②

389
고1 6월
응용

가장 큰 실수는　　　　　대부분의 투자자들이 저지르는　~이다　　손실을 보고 공황 상태에 빠지는 것
The biggest mistake [that most investors make] is / getting into a panic over losses.
　　　　S　　　　　↳ 관계대명사절(that+S+V)　　V　　　　C

390
고1 6월
응용

The praise **that he received** changed his whole life.

391
고1 3월
응용

Ants in groups can do things that no single ant can do.

392
고1 9월
응용

Some participants stood next to close friends whom they had known a long time during the exercise.

participant 참가자

393
고1 9월

This story is a good example of a legend which native people invented to make sense of the world around them.

394
고1 3월
응용

생각해 보라　　　　가장 유명한 과학자들을　　당신이 알고 있는
Think of / the most famous scientists [you know].
　V　　　　　　O　　　　↳ 관계대명사절(who(m) [that] 생략)

☆ **395**
고1 3월
응용

I'm the only father **my children have**.

only 유일한

396
고1 9월
응용

People usually exaggerate about the time they waited.

397
고1 9월
응용

The number of nails the boy drove into the fence gradually decreased.　　drive (못 등을) 박다

398
고1 3월
응용

Ads will cover up negative aspects of the company they advertise.　　cover up 숨기다, 은폐하다

- 목적격 관계대명사가 절 안에서 전치사의 목적어 역할을 할 때, 관계대명사절은 「who(m)/which/that+S+V ~ +전치사」의 형태이다.
- 관계대명사 that을 제외하면, 「전치사+관계대명사」의 형태도 가능하다.

399
고1 3월
응용

생각해 보라　　　　모든 사람들을　　　　　　　　　당신의 수업 참여를 좌우하는
Just think of / all the people [upon whom your participation in your class depends].
　　　　V　　　　　　O　　　└ 전치사+관계대명사절

(= Just think of all the people whom your participation in your class depends upon.)

400
고1 3월

The teacher wrote back a long reply **in which he dealt with thirteen of the questions**.

401
고1 3월

To get your new toaster, simply take your receipt and the faulty toaster to the dealer from whom you bought it.

402
고1 9월
응용

Early online reporting required one central place to which a reporter would submit his or her news story for posting.

문장구조 + 영작하기

1

사람들은	보통 과장한다	시간에 대해	그들이 기다렸던

2

그 선생님은	써서 보냈다	긴 답장을	그가 13개를 다루었던

그 질문들 중에서

- 관계부사 when, where, why가 이끄는 절은 각각 시간, 장소, 이유를 나타내는 선행사를 수식한다.
- 「when/where/why+S+V ~」의 형태로 관계부사가 절 안에서 부사 역할을 하며, 'S가 V하는 시간/장소/이유'로 해석한다.

대표 문장

403
고1 9월

Hike the Valley는　~이다　하이킹 프로그램　매주 토요일 우리가 참가자들을 지역 숲길로 안내하는
Hike the Valley / is / a hiking program [where we guide participants through local
　　S　　　　V　　　　C　　　　　　　　↳ 관계부사절(where+S+V ~)
trails every Saturday].

☆ **404**
고1 3월
응용

Events **where we can watch people perform** attract many people.

405
고1 3월
응용

We are looking for a diversified team where members complement one another.

diversified 다양화된

406
고1 9월
응용

There have been numerous times when food has been rather scarce.

numerous 수많은

407
고1 3월
응용

There are moments when our snap judgments can offer better means of making sense of the world.

snap 불시의　judgment 판단

408
고1 6월
응용

This is one of the reasons why people still go to cinemas for good films.

409
고1 6월

This may be part of the reason why 85 percent of Americans do not eat enough fruits and vegetables.

- 관계부사 how가 이끄는 절은 방법을 나타내는 선행사 the way를 수식하는데, the way와 how는 함께 쓰지 않는다.
- 「the way/how+S+V ~」 형태로 'S가 V하는 방법'으로 해석한다.

410
고1 9월 응용

우리는   일반화하는 경향이 있다   방식에 관해   사람들이 행동하는
We / tend to form generalizations / about the way [people behave].
전치사의 목적어   관계부사절(how 생략)

(= We tend to form generalizations about **how people behave**.)

411
고1 6월

There is an entire body of research about the way **"product placement" in stores influences your buying behavior**.   an entire body 매우 많은   placement 배치

412
고1 3월 응용

The graph shows how people in five countries consume news videos.

413
고1 3월

In many cities, car sharing has made a strong impact on how city residents travel.   impact 영향   resident 주민

- 일반적인 시간, 장소, 이유를 나타내는 선행사 뒤의 관계부사 when, where, why는 생략할 수 있다.

414
고1 3월

그 이유는   태양이 그렇게 보이는   그것이 불타고 있기 때문이다
The reason [it looks that way] **is** [that the sun is on fire].
S   관계부사절(why 생략)   V   C

415
고1 6월 응용

A dog throws the front part of his body in the direction **he wants to go**.   direction 방향

문장구조 + 영작하기

1.

이것이	~이다	이유들 중 하나	왜	사람들이	여전히 영화관을 가는지	좋은 영화를 보러

2.

그 그래프는	보여준다	방식을	사람들이	다섯 개 국가에서	소비하는	뉴스 영상을

- 관계대명사 who와 which가 이끄는 절이 콤마 뒤에 나오면, 선행사에 관한 추가적인 내용을 보충 설명하는 역할을 한다.
- 「콤마(,)+관계대명사」는 「접속사(and, but 등)+(대)명사」로 바꿔 쓸 수 있고, which는 명사(구)뿐만 아니라 앞 절 전체를 보충 설명하기도 한다.

대표문장
416
고1 3월
응용

아시아로 가는 비행에서 나는 만났다 Debbie를 (그런데) 그녀는 기장으로부터 환영을 받았다
On a flight to Asia, / **I** / **met** / **Debbie,** [**who was welcomed by the pilot**].
　　　M　　　　　　　S　　V　　선행사(O)　관계대명사절(who+V ~)

(= On a flight to Asia, I met Debbie, **and she** was welcomed by the pilot.)

417
고1 3월

The guard took him to the rich man, **who decided to punish him severely**.

guard 경비병　punish 벌하다

☆418
고1 6월
응용

Judith Rich Harris, who is a developmental psychologist, argues that three main forces shape our development.

force 힘

419
고1 6월
응용

문어체는 ~이다 형식적 (그래서) 이것은 독자들이 주의를 잃게 만든다
Written language / **is** / **formal,** [**which makes the readers lose attention**].
　선행사(절)　　　　　　　　　관계대명사절(which+V ~)

(= Written language is formal, **and it** makes the readers lose attention.)

420
고1 6월
응용

Plastic tends to float, **which allows it to travel in ocean currents for thousands of miles**.

ocean currents 해류

☆421
고1 9월
응용

The building is surrounded by air, which applies friction to the falling marble and slows it down.

apply 가하다　marble 구슬

422
고1 3월
응용

These text-based questions provide students with a purpose for rereading, which is critical for understanding complex texts.

complex 복잡한

- 관계부사 when과 where가 이끄는 절이 콤마 뒤에 나오면, 선행사에 관한 추가적인 내용을 보충 설명하는 역할을 한다.
- 「콤마(,)+관계부사」는 「접속사(and, but 등)+부사(구)」로 바꿔 쓸 수 있다.

423
고1 9월
응용

그는   입대했다   미국 해병대에   (그리고) 그곳에서 그는 한국 전쟁 장면을 촬영했다
He / joined / the United States Marine Corps, [where he captured scenes from the
 S   V   선행사(O)   관계부사절(where+S+V ~)
Korean War].
(= He joined the United States Marine Corps, **and there** he captured scenes from the Korean War.)

424
고1 3월
응용

This is particularly true of horror genres, **where audiences are kept on the edge of their seats throughout**.

                                           be true of ~에 해당하다   on the edge of one's seat 이야기에 매료되어

425
고1 9월

He developed his passion for photography in his teens, when he became a staff photographer for his high school paper.

문장구조 + 영작하기

1

그는 사진에 대한 그의 열정을 키웠다	그의 십 대 시절에,	(그리고) 그때 그는 되었다

사진 기자가	자신의 고등학교 신문의

- 접속사 when, while, since 등이 이끄는 절은 시간의 부사절로, 문장 앞이나 뒤에서 시간적 정보를 나타내는 수식어 역할을 한다.
  - when: ~할 때
  - while: ~하는 동안
  - since: ~한 이래로
  - as: ~할 때/~하면서
  - until: ~할 때까지
  - before: ~하기 전에
  - after: ~한 후에
  - as soon as: ~하자마자

대표 문장
426
고1 9월

화학에 대한 그녀의 흥미는　　　시작되었다　　　그녀가 단지 10살이었을 때
Her interest in chemistry / started [when she was just ten years old].
　　　　　S　　　　　　　　V　　　　　시간의 부사절(when+S+V ~)

427
고1 3월
응용

While Mary walked the doll around the room, her eyes fell upon a book.

fall upon (시선이) ~으로 향하다

☆ **428**
고1 3월
응용

The rate of change in Icelandic has always been slow, ever since Icelandic history began.

rule 지배하다

429
고1 6월
응용

Young children let out all sorts of emotions as they interact with music.

let out 표출하다
all sorts of 모든 종류의

430
고1 6월
응용

In behavior capture, you first have to wait until your dog performs the behavior.

431
고1 9월
응용

You should give someone a second chance before you label them.

label 낙인찍다

432
고1 3월
응용

After he was orphaned, Anton Romberg took care of him.

orphan ~을 고아로 만들다

433
고1 6월

As soon as the white ray hit the prism, it separated into the familiar colors of the rainbow.

familiar 친숙한

- 접속사 if, unless 등이 이끄는 절은 조건의 부사절로, 문장 앞이나 뒤에서 조건의 의미를 나타내는 수식어 역할을 한다.
  - if: ~한다면　　　　　- unless[if ~ not]: ~하지 않는다면　　　　　- in case (that): ~인 경우에 대비해서

434
고1 3월

　　　　가족은　　　　　　강해지지 않는다　　　　　　　　　　부모가 가족에게 소중한 시간을 투자하지 않으면
Families / don't grow strong [unless parents invest precious time in them].
　　S　　　　　V　　　　　　　　　　　　　　　　　　　조건의 부사절(unless+S+V ~)

☆ **435**
고1 3월

If you never take the risk of being rejected, you can never have a friend or partner.

436
고1 9월

If a person starts the day with a positive mindset, that person is more likely to have a positive day.

mindset 사고방식

437
고1 3월
응용

The saint tells the frog to be quiet in case it disturbs his prayers.

prayer 기도

- 시간과 조건의 부사절에서는 현재시제가 미래를 의미한다.

438
고1 9월
응용

　　　　　　　그 책상이 도착하자마자　　　　　우리는　　　　전화할 것이다　　당신에게　　　　바로
[As soon as the desk arrives], we / will telephone / you / immediately.
　　시간의 부사절(As soon as+S+V ~)　　　　S　　　　　V

☆ **439**
고1 6월
응용

If you are afraid of a presentation, trying to avoid your anxiety willy reduce your confidence.

confidence 자신감

**문장구조
+
영작하기**

1

~하는 동안	Mary가 그 인형을 산책시켰다	방에서,		그녀의 시선은	책 한 권으로 향했다

2

~한다면	어떤 사람이 하루를 시작한다	긍정적인 사고방식으로,	그 사람은

가능성이 더 높다	긍정적인 하루를 보낼

- 접속사 so that, in order that이 이끄는 절은 목적의 부사절로, 문장 속에서 목적의 의미(~하기 위해서/~하도록)를 나타내는 수식어 역할을 한다.

440
고1 3월
응용

공유해라　당신이 좋아하는 것들을　　　　친구들과　　　　　모든 사람이 크게 웃을 수 있도록
Share / your favorites / with your friends [so that everyone can get a good laugh].
　V　　　　　　　　　　　　　　　　　　　　　목적의 부사절(so that+S+V ~)

441
고1 9월
응용

Some bacteria produce oxygen **so that we can breathe on Earth**.　　　　oxygen 산소

☆**442**
고1 3월
응용

Each of us needs people who encourage us so that we can move forward toward our goals.

- 접속사 although, (even) though 등이 이끄는 절은 '비록 ~이지만'의 의미를 나타내는 양보의 부사절이다.

443
고1 3월
응용

비록 많은 작은 사업체가 웹사이트를 가지고 있지만　　그들은　　여유가 없다　　적극적인
[Although many small businesses have websites], they / can't afford / aggressive
　　　　양보의 부사절(Although+S+V ~)　　　　　　　　S　　　　V
온라인 캠페인을 할
online campaigns.

444
고1 9월
응용

Though she never had children of her own, she loved children.

445
고1 3월
응용

Even though Fred had done his cultural homework, he made one particular error.

• 접속사 while이 이끄는 절은 '~인 반면에'의 의미를 나타내는 대조의 부사절이다.

446
고1 6월
응용

공상은 이상화된 미래를 상상하는 것을 포함하는 반면에　　　　　　기대는　　근거한다
[**While** fantasy involves imagining an idealized future], **expectation** / **is based** / **on**
　　　　대조의 부사절(While+S+V ~)　　　　　　　　　S　　　　V
한 사람의 과거 경험에
a person's past experiences.

☆**447**
고1 9월
응용

While the number of tourists to Istanbul increased steadily, Antalya received less tourists compared to the previous year.

448
고1 6월

Among the four factors, "Storyline" had the smallest difference while "Online Rating" showed the largest difference between 2013 and 2015.　　　　difference 차이점

**문장구조
+
영작하기**

1

어떤 박테리아는	만들어낸다	산소를	~하도록	우리가 숨 쉴 수 있다	지구에서

2

~인 반면에	Istanbul을 찾은 관광객 수는	꾸준히 증가했다,	Antalya는

받았다	적은 수의 관광객을	전년도에 비해

- 접속사 because, since, as 등이 이끄는 절은 원인의 부사절로, 문장 속에서 이유, 원인의 의미(~이기 때문에)를 나타내는 수식어 역할을 한다.

449
고1 6월

바닷속에 있는 대부분의 플라스틱 조각들은 매우 작기 때문에   ~이 없다
[**Because** most of the plastic particles in the ocean are so small], **there** is **no** /
　　　　　　원인의 부사절(Because+S+V ~)　　　　　　　　　　　　　　　　　　　　　　　V

바다를 청소할 실질적인 방법
practical way to clean up the ocean.
S

450
고1 6월
응용

Libraries must provide quietness, **because many of our students want a quiet study environment**.

quietness 조용함

451
고1 6월

People noise has also increased, because group work and instruction are essential parts of the learning process.

452
고1 3월

Since the toaster has a year's warranty, our company is happy to replace your faulty toaster with a new toaster.

be happy to 기꺼이 ~하다　replace A with B A를 B로 교환하다

☆**453**
고1 6월
응용

As I loved driving very much, we moved onto talking about cars.

move onto ~으로 옮기다

- 접속사 so/such ~ that 등이 이끄는 절은 결과의 부사절로, 문장 속에서 결과의 의미를 나타내는 수식어 역할을 한다.
  - so+형용사/부사 ~ that: 아주 ~해서 …하다   - such+(a/an)+(형용사)+명사 ~ that: 아주 ~해서 …하다

454
고1 3월
응용

그녀는 너무 기진맥진해서   다음 경주의 막판에는 꼴찌를 하고 있었다
<u>She was **so** exhausted</u> [**that** she was in last place toward the end of her next race].
원인(so+형용사)   결과의 부사절(that+S+V ~)

455
고1 9월
응용

His temper was **so** difficult **that nobody wanted to be his friend**.

temper 성질
difficult 까다로운

456
고1 3월
응용

She had fallen so often that she sprained her ankle.

☆**457**
고1 3월
응용

You trust your best friend so much that you won't worry about him knowing you too well.

458
고1 3월
응용

He was such a great person that the lion didn't kill him.

문장구조
+
영작하기

1

~이기 때문에	내가	좋아했다	운전하는 것을	매우 많이,	우리는	옮겨갔다

자동차에 대한 이야기로

2

그녀는	넘어졌다	너무 자주	(그래서) 그녀는	삐었다	그녀의 발목을

UNIT 8 / REVIEW TEST

0
고1 3월

People [who lie] get into trouble [when someone threatens to uncover their lie].
선행사 관계대명사절(who+V)   시간의 부사절(when+S+V ~)   uncover 폭로하다
→ 거짓말을 하는 사람은 누군가가 자신의 거짓말을 폭로하겠다고 위협하면 곤경에 처하게 된다.

1
고1 6월

Vinci's attitude stands strongly against today's culture where we emphasize positivity too much.   stand against ~와 대조되다   emphasize 강조하다

→ _____

2
고1 3월

They may be saying things that are intentionally designed to annoy you.   intentionally 의도적으로

→ _____

3
고1 3월

Food labels are a good way to find the information about the foods you eat.

→ _____

4
고1 9월
응용

She admired the work of Edgar Degas, which was a great inspiration.   admire 감탄하다
inspiration 영감

→ _____

5
고1 9월
응용

The culture that we inhabit shapes how we think in the most pervasive ways.   inhabit 살다   pervasive 널리 퍼져있는

→ _____

6
고1 9월
응용

Although biases will always occur in science, the peer review system can minimize their effects.   bias 편견   peer 동료   minimize 최소화하다

→ _____

7
고1 3월

Public speaking is audience centered because speakers "listen" to their audiences during speeches.

→ _____

구문+문법 다음 문장에서 틀린 곳을 찾아 바르게 고치고, 빈칸을 완성하시오.

0
고1 3월
응용

make
When you ~~will make~~ a person feel a great sense of importance, he or she will feel on top of the world.

→ When ~ importance는 시간의 부사절이고, he or she 이하는 주절이다. 시간의 부사절에서는 [현재시제]가 미래를 의미한다.

1
고1 3월

The emotion itself is tied to the situation in that it originates.   originate 일어나다

→ in 이하는 선행사 the situation을 수식하는 「전치사+관계대명사절」이다. 관계대명사가 [   ]일 때는 [   ](이)가 앞으로 올 수 없다.

2
고1 3월

Hunger wasn't the only problem in this area which poverty was everywhere.
hunger 배고픔 poverty 가난

→ poverty 이하는 완전한 구조의 절이고, 앞에 장소를 나타내는 선행사 [   ](이)가 있으므로 [   ](이)가 와야 한다.

3
고1 3월
응용

Advertising exchanges are gaining in popularity, especially among marketers which don't have a large sales team.   exchange 교환

→ 선행사 [   ](은)는 사람이고 관계대명사절 내에서 [   ] 역할을 한다.

4
고1 3월
응용

You can't eat dinner unless you don't pay me for my superior cooking skills.
superior 뛰어난

→ unless 이하는 조건의 부사절이다. unless는 '[   ]'(이)라는 부정의 의미를 포함하고 있다.

5
고1 9월

Her work on vitamin B12 was published in 1954, that led to her being awarded the Nobel Prize in Chemistry in 1964.   award 수여하다, 주다

→ 「콤마(,)+관계대명사」는 선행사를 보충 설명하는 절을 이끈다. 관계대명사 [   ](은)는 앞에 나온 절 전체를 [   ](으)로 취할 수 있다.

PART 5

색다른 문장구조

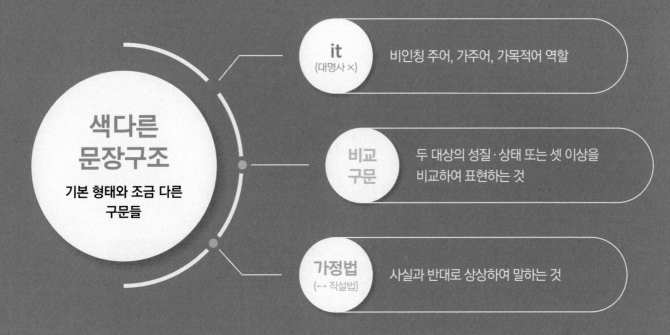

it
(대명사 ×) 비인칭 주어, 가주어, 가목적어 역할

색다른
문장구조
기본 형태와 조금 다른
구문들

비교
구문 두 대상의 성질·상태 또는 셋 이상을
비교하여 표현하는 것

가정법
(↔ 직설법) 사실과 반대로 상상하여 말하는 것

UNIT **10** 색다른 문장

목표 구문 **한눈에 보기**

그것이 아닌 it

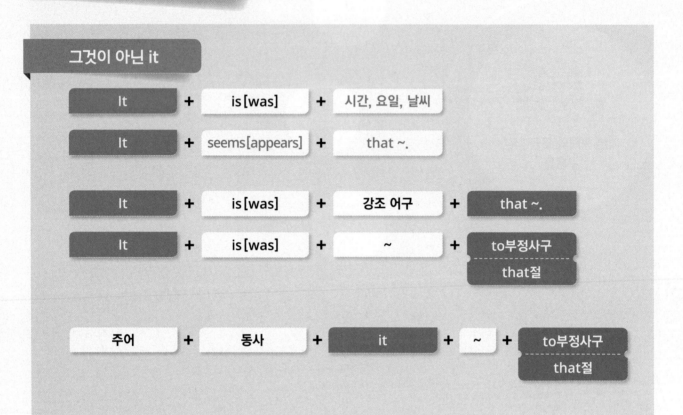

It + is[was] + 시간, 요일, 날씨

It + seems[appears] + that ~.

It + is[was] + 강조 어구 + that ~.

It + is[was] + ~ + to부정사구 / that절

주어 + 동사 + it + ~ + to부정사구 / that절

비교 구문

A + as + 원급 + as + B
——— (=) ———

A + 비교급 + than + B
——— ⟨⟩ ———

A + the + 최상급 + in/of + 명사(구)
——— ~에서 최고 ———

01	improve★	동	향상시키다	26	debris	명	파편, 잔해
02	praise★	동	칭찬하다	27	complex★	형	복잡한
03	intelligence	명	지능	28	accessibility	명	접근성
04	motivate★	동	동기를 부여하다	29	launch	동	내던지다
05	ultimately	부	궁극적으로	30	respondent	명	응답자
06	commitment	명	전념	31	produce★	동	생산하다
07	progress	명	발전	32	influence★	명	영향
08	enable	동	가능하게 하다	33	peer	명	또래
09	achieve	동	성취하다	34	organ	명	(인체 내의) 기관
10	tolerance	명	관용	35	take in		받아들이다
11	diversity	명	다양성	36	expectation★	명	기대
12	deficiency	명	부족	37	break down into		~로 분해하다
13	excess	명	과잉	38	expose	동	노출하다
14	distraction	명	집중을 방해하는 것	39	rate	명	평가
15	script	명	원고	40	factor★	명	요인
16	reduce★	동	줄이다	41	assure	동	장담하다
17	onstage anxiety		무대 불안	42	essential	형	필수적인
18	constant★	형	지속적인	43	invest	동	투자하다
19	exposure	명	노출	44	cognitively	부	인지적으로
20	be related to		~에 관계가 있다	45	demanding	형	힘든
21	achievement	명	성취	46	consumer★	명	소비자
22	period★	명	(역사적으로 구분된) 시대	47	satisfaction	명	만족
23	arrangement	명	배열	48	export	동	수출하다
24	crack	동	금이 가게 하다	49	measurable	형	측정 가능한
25	litter	동	흐트러져 어지럽히다	50	variable	명	변수

UNIT 9 색다른 단어와 구

1 [단어] 그것이 아닌 it ①

대표 문장
고1 3월

×	~이었다	나의 학기 첫날		St. Roma 고등학교에서의
It	was	my first **day** of school		at St. Roma High School.

S(비인칭 주어) / 날(day)

2 [단어] 그것이 아닌 it ②

대표 문장
고1 9월

여러분의 노력에도 불구하고,	×	~이다	우리 시설의 수용 능력을 넘어선	특별한 도움이 필요한
Despite your efforts,	it	is	beyond our facility's capacity	to care for

S(가주어) / S'(진주어: to부정사구)

동물들을 돌보는 것은

animals with special needs.

3 [구] 비교구문 - 원급

대표 문장
고1 3월

그것은	~였다	~만큼 어려운	첫 번째 도전(만큼)	또한
It	was	as difficult as	the first challenge,	too.

A / as+원급+as / B

4 [구] 비교구문 - 비교급

대표 문장
고1 3월

2011년에,	휴대용 기기를 이용한 인터넷 사용 시간은	~이었다	~보다 더 짧은	데스크톱 컴퓨터나
In 2011,	Internet usage time by mobiles	was	shorter than	that by

A / 비교급+than / B

랩톱 컴퓨터를 이용한 그것(보다)

desktops or laptops.

5 [구] 비교구문 - 최상급

대표 문장
고1 9월

1800년대 후반에	철도 회사들은	~이었다	가장 큰 기업들	미국에서
In the late 1800s,	the railroads	were	the **biggest** companies	in the U.S.

the+최상급+명사 / in+단수명사

▶ it은 비인칭 주어, It is[was] ~ that 강조 구문의 주어로 올 수 있다.

비인칭 주어 it	• 시간, 요일, 날짜, 날씨, 계절, 거리, 명암 등을 나타내는 문장에 사용되는 뜻이 없는 주어이다.
	• It seems[appears] that ~(~인 것 같다) 구문의 뜻이 없는 주어이다.
강조 구문의 it	• It is[was] ~ that ... (…하는 것은 바로 ~이다[이었다]) 구문의 뜻이 없는 주어이다.

It is[was]+강조 어구+**that**+나머지 어구 〈that 뒤 불완전한 구조〉
(= 사람+who / 사물+which / 시간+when / 장소+where)

▶ it은 가주어, 가목적어로 올 수 있다.

가주어 it	• to부정사구, 명사절 주어 대신 가주어 it을 쓰고, 진주어는 문장 뒤로 보낼 수 있다.	
	It+is[was] ~+(for/of+목적격+)**to부정사**	It+is[was] ~+**that**+S+V ... 〈that 뒤 완전한 구조〉
	It+is[was] ~+**whether**+S+V	It+is[was] ~+**의문사**+(S+)V ...
가목적어 it	• to부정사구, 명사절 목적어 대신 가목적어 it을 쓰고 진목적어는 문장 뒤로 보낼 수 있다.	
	S+V+**it**+(C+)**to부정사**	S+V+**it**+(C+)**that**+S+V

▶ 「as+원급+as」를 이용하여 두 대상을 동등 비교할 수 있다.

원급 비교	• A와 B 두 대상의 정도의 차이가 없음을 나타낸다. (A=B)	
원급 비교 구문	as+형용사/부사 원급+as	~만큼 …한/…하게
	not+so[as]+형용사/부사 원급+as	~만큼 …하지 않은/…하지 않게
	as+형용사/부사 원급+as possible	가능한 한 ~한/~하게
	배수 표현+as+형용사/부사 원급+as	~보다 배 …한/…하게

▶ 「비교급+than」을 이용하여 두 대상의 우위를 비교할 수 있다.

비교급 비교	• A와 B 두 대상의 정도의 차이가 있음을 나타낸다. (A〈B 또는 A〉B)	
비교급 구문	형용사/부사 비교급+than	~보다 더 …한/…하게
	the+비교급 ~, the+비교급 …	~하면 할수록 더 …하다
	비교급+and+비교급	점점 더 …한/…하게

▶ 「the+최상급」 또는 원급, 비교급 표현으로 최상급 비교를 할 수 있다.

최상급 비교		• 셋 이상을 비교하여 그중 하나가 가장 정도의 차이가 있음을 나타낸다.	
최상급 구문	최상급 이용	the+최상급+(명사+)in/of+명사(구)	…에서 가장 ~한 (명사)
		one of the+최상급+복수명사	가장 ~한 … 중 하나
	비교급 이용	비교급+than any other+단수명사	다른 어떤 …보다도 더 ~한/~하게
		No (other) A ~+비교급+than B	(다른) 어떤 A도 B보다 ~하지 않다
	원급 이용	No (other) A ~+as+원급+as B	(다른) 어떤 A도 B만큼 ~하지 않다

- 시간, 날짜, 요일, 날씨, 계절, 거리, 명암 등을 나타내는 문장의 주어로 쓰인 It은 비인칭 주어이고, 해석하지 않는다.

대표 문장
459
고1 3월

× ~였다　　나의 학기 첫날　　　　　　St. Roma 고등학교에서의
It / **was** / **my first day** of school / at St. Roma High School.
S(비인칭 주어)　날(day)

460
고1 6월

It takes **20 minutes** by car from City Hall.

take (얼마의 시간이) 걸리다

461
고1 9월

It was too hot even for a sheet.

sheet 홑이불

462
고1 6월

It had been a hot sunny day and the air was heavy and still.

still 고요한

- It seems[appears] that ~은 '~인 것 같다'라는 뜻의 표현으로, 이때의 It도 비인칭 주어이다.

463
고1 6월

~인 것 같다　　　당신은 걸어가는 게 좋은　　　　그 가게로　　　당신의 건강을 향상시키기 위해
It seems [that you had better walk / to the shop / to improve your health].
It seems　that ~

464
고1 9월

It might **seem that** praising your child's intelligence or talent would boost his self-esteem and motivate him.

talent 재능　boost 북돋우다

- It is[was] ~ that ... 강조 구문은 '…하는 것은 바로 ~이다[이었다]'라는 뜻의 표현으로, 이때의 It은 별도로 해석하지 않는다.
- 원래 문장에서 동사를 제외한 어구(주어, 목적어, 부사 등)가 강조 어구 자리에, that 뒤에는 나머지 어구가 오기 때문에 that 뒤는 불완전한 구조이다. (단, 부사를 강조할 때는 완전한 구조)

465
고1 6월

궁극적으로,   바로 ~이다   그 과정에 대한 당신의 전념   결정짓는 것은   당신의 발전을
Ultimately, / it is / your commitment to the process [that will determine / your progress].
    it is   강조 어구(S)   that   나머지 어구(V+O)

궁극적으로,   그 과정에 대한 당신의 전념이(S)   결정지을 것이다(V)   당신의 발전을(O)
(← Ultimately, / your commitment to the process / will determine / your progress.)

466
고1 6월
응용

It was his self-confidence **that** enabled him to achieve anything he went after.

go after ~을 추구하다

467
고1 9월

It is tolerance that protects the diversity which makes the world so exciting.

protect 보장하다

☆ **468**
고1 6월

It was only when Newton placed a second prism in the path of the spectrum that he found something new.

path 경로   spectrum 스펙트럼

1

×	~였다	너무 더운	심지어 홑이불 한 장조차

2

바로 ~이었다	그의 자신감	가능하게 한 것은	그가	성취하도록	무엇이든

그가 추구하는 것을

- It[it]이 주어인 문장 뒤에 to부정사가 쓰이면, It[it]은 가주어이고 to부정사구가 진주어이다.
- to부정사 앞에 「for/of+목적격」 형태로 의미상 주어가 오면, 이를 주어처럼 해석한다.

대표 문장
469
고1 9월

여러분의 노력에도 불구하고,   × ~이다   우리 시설의 수용 능력을 넘어선   특별한 도움이 필요한 동물들을
Despite your efforts, / it / is / beyond our facility's capacity / to care for animals
                  S(가주어)   S'(진주어: to부정사구)

돌보는 것은
with special needs.

(= Despite your efforts, **to care for animals with special needs** is beyond our facility's capacity.)

470
고1 6월

For each of these traits, it is best to avoid both deficiency and excess.
                                                                trait 특성

471
고1 3월

It can be tough to settle down to study when there are so many distractions.
                                                       distraction 집중을 방해하는 것

☆**472**
고1 3월

It is important for the speaker to memorize his or her script to reduce onstage anxiety.
                                                            memorize 암기하다

☆**473**
고1 9월
응용

It feels good for someone to hear positive comments.

★ 가주어 It 뒤에 일반동사도 올 수 있다.

- It[it]이 주어인 문장 뒤에 that절이 쓰이면, It[it]은 가주어이고 that절이 진주어이다.

474
고1 3월
응용

   × ~이다   놀라운   소음에의 지속적인 노출이   아이들의 학업 성취에 관계가 있다는 것은
It / is / surprising [that constant exposure to noise / is related to children's academic
S(가주어)   S'(진주어: that절(that+S+V ~))

achievement].

475
고1 3월

Over time, it became clear that he couldn't do a good job at both.

476
고1 6월

As you know, it is our company's policy that all new employees must gain experience in all departments.

policy 정책

477
고1 3월
응용

It is often believed that Shakespeare, like most playwrights of his period, did not always write alone.

playwright 극작가

- 가목적어 it은 목적어 자리에 온 어구 대신 사용하는 뜻이 없는 목적어로, 5형식 문장에서 많이 나타난다.
- 문장의 뒤에 있는 to부정사구나 that절이 진목적어이며, 이를 목적어로 해석한다.

478
고1 6월
응용

일부 아프리카 국가들은　　　　　　어려움을 겪고 있다　　　자국민들을 먹여 살리는 것에　　　　　또는 안전한
Some African countries / find **it** difficult ⟨**to feed** their own people / or **provide** safe
　　　　　　　　　　　　　　　　　 ○ (가목적어)　　　　　　 ○′ (진목적어: to부정사구)　 (to)
식수를 공급하는 것에
drinking water⟩.

479
고1 3월
응용

The arrangement by category makes **it** easy for you **to memorize the store's layout**.

☆**480**
고1 9월
응용

The paths are cracked and littered with rocks and debris that make it impossible to roll her wheelchair from place to place.

debris 파편, 잔해

481
고1 6월

Written language is more complex, which makes it more work to read.

1

시간이 흐르면서	×	~해졌다	명확한	그가 둘 다 모두 잘할 수 없다는 것이

2

범주에 의한 배열은			만든다	×	쉽게	당신이	기억하는 것을

그 가게의 배치를

- 「as+형용사/부사 원급+as」는 '~만큼 …한/…하게'라는 의미의 원급 비교 표현으로, 두 비교 대상은 형태가 같아야 한다.
- 부정형은 「not+so[as]+형용사/부사 원급+as」 형태이고 '~만큼 …하지 않은/…하지 않게'로 해석한다.

대표 문장
482
고1 3월

그것은 ~이었다	~만큼 어려운	첫 번째 도전(만큼)	또한

It / was / as difficult as / the first challenge, / too.
　A　　　　as+원급+as　　　　　　B

⭐ **483**
고1 6월
응용

He turned and disappeared **as quickly as** he had come.

484
고1 6월
응용

She met a beautiful woman who wore a dress as white as snow.

⭐ **485**
고1 9월

Accessibility to mass transportation is not as popular as free breakfast for business travelers.

mass transportation 대중교통

- 「as+원급+as possible」과 「as+원급+as+S+can[could]」은 '가능한 한 ~한/~하게'라는 의미의 원급 비교 표현이다.

486
고1 6월
응용

그들은	먹는다	가능한 한 많이	그들이 할 수 있는 동안에

They / eat / as much as possible / while they can.
　　　　　　as+원급+as possible

(= They eat **as much as they can** while they can.)

487
고1 3월
응용

I discovered that the seller was very interested in closing the deal **as soon as possible**.

488
고1 9월

He ran as fast as he could and launched himself into the air.

• 「배수 표현(twice, three times, ...)+as+원급+as」는 '~보다 배 …한/…하게'라는 의미의 원급 비교 표현이다.

489
고1 9월

2012년에	6~8세 연령대의 아이들의 비율은	~였다	~보다 두 배 많은	15~17세
In 2012, /	the percentage of the 6-8 age group /	was /	twice as large as /	that of the
	A		배수 표현+as+원급+as	B

연령대의 아이들의 그것(비율)
15-17 age group.

490
고1 9월

For health science invention, the percentage of female respondents was **twice as high as** that of male respondents.

☆**491**
고1 3월
응용

To produce two pounds of meat requires about 5 to 10 times as much water as to produce two pounds of vegetables.

require 필요로 하다

1

그는	돌아서서 사라졌다	~만큼 빠르게	그가 왔던

2

건강 과학 발명 분야에서,	여성 응답자의 비율은	~였다

~보다 2배 높은	남성 응답자의 그것(비율)

• 「형용사/부사 비교급+than」은 '~보다 더 …한/…하게'라는 의미의 비교급 표현으로, 두 대상의 정도 차이를 나타낸다.

대표 문장

492
고1 3월

| 2011년에, | 휴대용 기기를 이용한 인터넷 사용 시간은 | ~였다 | ~보다 더 짧은 | 데스크톱 컴퓨터나 랩톱 컴퓨터를 |

In 2011, / Internet usage time by mobiles / was / shorter than / that by desktops or

　　　　　　　　　　A　　　　　　　　　　　　　　　　비교급+than　　　　　　　B

이용한 그것(보다)
laptops.

493
고1 3월
응용

The percentage of UK adults using magazines in 2014 was **lower than** that in 2013.

494
고1 9월

The actions of others often speak volumes louder than their words.

495
고1 3월
응용

Text chat required less effort and attention, and was more enjoyable than voice chat.

• much, still, (by) far, even, a lot 등은 비교급 앞에 쓰여 '훨씬'의 의미로 비교급을 강조한다.

496
고1 6월

| 또래들의 영향은 | 그녀는 주장한다 | ~이다 | ~보다 훨씬 더 강한 | 부모의 그것(보다) |

The influence of peers, / she argues, / is / much stronger than / that of parents.

　　　　　　A　　　　　　　　　　　　　　　　　비교급 강조　　비교급+than　　　　　B

497
고1 3월
응용

After hatching, chickens peck busily for their own food **much faster than** crows.

498
고1 3월
응용

They need me a lot more than baseball does.

499
고1 6월

Actually, per unit of matter, the brain uses by far more energy than our other organs.

- 「the+비교급 ~, the+비교급 …」은 '~하면 할수록 더 …하다'라는 의미의 비교급 표현이다.
- 「비교급+and+비교급」은 '점점 더 …한/…하게'라는 의미의 비교급 표현이다.

500
고1 9월
응용

더 많은 새로운 정보를   우리가 받아들일수록   더 천천히   시간이 (흐른다고) 느껴진다
The more new information / we take in, / **the slower** / time feels.
the+비교급   the+비교급

501
고1 3월

The more people you know of different backgrounds, **the more colorful** your life becomes.

colorful 다채로운

☆**502**
고1 6월
응용

The higher the expectations, the more difficult it is to be satisfied.

satisfied 만족한

503
고1 6월
응용

Most plastics break down into smaller and smaller pieces when exposed to ultraviolet (UV) light.

ultraviolet light 자외선

**문장구조
+
영작하기**

1

다른 사람들의 행동들은	종종 목소리를 낸다	~보다 더 큰	그들의 말(보다)

2

그들은 나를 필요로 한다	~보다 훨씬 더 많이	야구가 그러한 것(보다)

- 「the+최상급+(명사+)in/of+명사(구)」는 '…에서 가장 ~한 (명사)'라는 의미로 특정 범위에서 가장 정도 차이가 있는 하나를 나타내는 표현으로, in 뒤에는 단수명사, of 뒤에는 복수명사가 온다.
- much, by far, ever 등은 '월등히, 현저히, 압도적으로'라는 의미로 최상급을 강조하는 표현이다.

대표 문장
504
고1 9월

1800년대 후반에   철도 회사들은   ~이었다   가장 큰 기업들   미국에서
In the late 1800s, / the railroads / were / the biggest companies / in the U.S.
                    A   the+최상급+명사   in+단수명사

☆**505**
고1 6월

In both 2013 and 2015, the rates for "Storyline" were **the highest of the four key factors**.

506
고1 6월

Of the 5 countries, the United States won the most medals in total, about 120.

507
고1 3월
응용

All the neighbors assured her father that she was the most beautiful girl in Germany.

- 「one of the+최상급+복수명사」는 '가장 ~한 … 중 하나'라는 의미의 최상급 표현으로, 주어 자리에 오면 단수 취급한다.

508
고1 6월

가장 필수적인 선택들 중 하나는   어느 누구든 내릴 수 있는   ~이다   우리의 시간을 어떻게 투자할지
One of the most essential decisions [any of us can make] is [how we invest our time].
S(one of the+최상급+복수명사)   V(단수)

509
고1 9월
응용

You've mastered one of the most difficult throws in all of judo.   throw 던지기

510
고1 9월

Furniture selection is one of the most cognitively demanding choices any consumer makes.   furniture 가구

- 형용사/부사의 원급과 비교급을 이용하여 최상급의 의미를 나타낼 수 있다.
  - No (other) A ~ + as + 원급 + as B/Nothing ~ as[so] + 원급 + as: (다른) 어떤 A도 B만큼 ~하지 않다/아무것도 …만큼 ~하지 않다
  - No (other) A ~ + 비교급 + than B/Nothing ~ 비교급 + than: (다른) 어떤 A도 B보다 ~하지 않다/아무것도 …보다 ~하지 않다
  - 비교급 + than any other + 단수명사, 비교급 + than anything else: 다른 어떤 …보다도 더 ~한/~하게

511
고1 3월

아무것도 ~ 않다   우리에게 더 중요한   우리 고객들의 만족보다
Nothing is / **more important** to us / **than** the satisfaction of our customers.
Nothing   비교급   than

(= The satisfaction of our customers is **the most important** to us.)

512
고1 3월

No other country exported **more** rice **than** India in 2012.

513
고1 3월
응용

Distance traveled relates more directly to sales per entering customer than any other measurable consumer variable.

<table>
<tr><td rowspan="2">문장구조
+
영작하기</td><td rowspan="2">1</td><td>너는 통달했다</td><td>가장 어려운 던지기 동작들 중 하나에</td><td>유도 전체에서</td></tr>
<tr><td></td><td></td><td></td></tr>
<tr><td></td><td>2</td><td>다른 어떤 나라도 수출하지 않았다</td><td>인도보다 더 많은 쌀을</td><td>2012년에</td></tr>
<tr><td></td><td></td><td></td><td></td><td></td></tr>
</table>

구조+해석 It [it]의 역할 또는 비교 표현에 표시한 뒤, 문장을 바르게 해석하시오.

0
고1 3월
응용

It / is not / macaws' fault [that your apartment / doesn't absorb / sound / as well as
S(가주어)　　　　　　　 S'(진주어: that절)　　└A　　　　　　　　　　　 as+원급+as
/ a rain forest].
　 B

macaw 마코앵무새　absorb 흡수하다

→ 당신의 아파트가 열대우림만큼 소리를 잘 흡수하지 못하는 것은 마코앵무새들의 잘못이 아니다.

1
고1 3월

It's great to have people in your life who believe in you and cheer you on.

cheer on ~을 응원하다

→ _____

2
고1 6월

Technology makes it much easier to worsen a situation with a quick response.

worsen 악화시키다

→ _____

3
고1 3월
응용

It is necessary to drink as much water as possible to stay healthy.

necessary 필요한

→ _____

4
고1 6월

They believe the earlier kids start to use computers, the more familiarity they will
have when using other digital devices.

familiarity 친숙함

→ _____

5
고1 9월

Learning to ski is one of the most embarrassing experiences an adult can undergo.

undergo 겪다

→ _____

6
고1 6월

It was seven o'clock and the start of one of the worst nights of my life.

→ _____

7
고1 3월
응용

It is the story in history that provides the nail to hang facts on.

hang on ~을 걸다

→ _____

구문+문법 다음 문장에서 <u>틀린</u> 곳을 찾아 바르게 고치고, 빈칸을 완성하시오.

0
고1 3월

It
~~That~~ is impossible for a man of many trades to be skilled in all of them.

→ 문장 뒤의 to부정사구가 진주어이므로, 문장 앞에는 ┌가주어 It┐ 이 와야 한다. to부정사 앞에 있는 for a man ~은 to부정사의 ┌의미상 주어┐ 이다.

1
고1 6월

Suddenly, he realized that it wasn't the money, real or imagined, what had turned his life around.

→ that 이하는 동사 realized의 목적어로 쓰인 명사절이다. '그의 인생을 변화시킨 것은 돈이 아니었다'라는 의미가 되도록 [   ] 형태의 강조 구문을 써야 한다.

2
고1 3월

This led to one of the most difficult decision of Tim's life.   lead to ~로 이어지다

→ '가장 어려운 결정들 중 하나'라는 의미의 최상급 표현이 되도록 「one of the+최상급+[   ]」 형태로 써야 한다.

3
고1 6월

Now the word 'near' means very longer than an arm's length away.   length 길이

→ '[   ]'의 의미로 비교급 longer를 강조하는 표현이 와야 한다. very는 비교급 앞에 쓰지 않는다.

4
고1 9월
응용

They were asked to describe it so fully as possible to other students.   describe 묘사하다

→ '가능한 한 충분히'라는 의미가 되도록 「[   ]+원급+as possible」 형태로 써야 한다.

5
고1 6월

"I can walk fast than you think!" Grandmother replied, with a smile.   reply 대답하다

→ '네가 생각하는 것보다 더 빨리'라는 의미가 되도록 「[   ]+than」 형태로 써야 한다.

UNIT 10 색다른 문장

가정법 과거

If + 주어 + 동사(과거) + ~, + 주어 + 조동사(과거) + 동사(원형) + ~.

were

-(e)d, 불규칙

would/could/might+동사원형

가정법 과거완료

If + 주어 + 동사(과거완료) + ~, + 주어 + 조동사(과거) + 동사(have p.p.) + ~.

had+p.p.

would/could/might+have p.p.

I wish 가정법

I wish + 주어 + 동사(과거) / 동사(과거완료) + ~.

as if 가정법

주어 + 동사 + as if + 주어 + 동사(과거) / 동사(과거완료) + ~.

01	gas	명	기체	26	entire*	형 전체의
02	use up		~을 다 쓰다	27	attitude	명 태도
03	instead of*		~ 대신에	28	fair	명 박람회
04	exchange	동	교환하다	29	end one's days	생애를 마치다
05	planet	명	행성	30	street vendor	명 노점 상인
06	ever	부	언제든(= at any time)	31	whisper	동 속삭이다
07	little	명	조금(밖에 없음)	32	drought	명 가뭄
08	copy	동	복제하다	33	the way it is	그대로
09	each time		~할 때마다	34	sigh	명 한숨
10	drawing	명	그림	35	ease	동 (고통을) 덜어주다
11	get better		좋아지다	36	pain	명 고통
12	a little		조금	37	loss	명 상실
13	accurate	형	정확한	38	inform	동 알리다
14	immediate	형	즉각적인	39	company*	명 회사
15	response	명	답장	40	advertise*	동 광고하다
16	horrified	형	겁에 질린	41	product*	명 제품
17	go back		되돌아가다	42	competitor	명 경쟁자
18	culture*	명	문화	43	exist	동 존재하다
19	grandparents	명	조부모	44	role	명 (배우의) 역, 역할
20	suggest*	동	(넌지시) 말하다	45	have the lead	주연을 맡다
21	check	명	수표	46	relive	동 다시 체험하다
22	enclose	동	동봉하다	47	event*	명 사건
23	respond	동	답장하다	48	happen*	동 일어나다
24	decision*	명	결정	49	put on	입다, 신다
25	get out of		~에서 나오다	50	all over again	처음부터 다시

1 [절] 가정법 – 과거

대표 문장
고1 6월 응용

만약 당신이 있다면	동물원에	당신은 말할 것이다	당신이 동물 '가까이에' 있다고
If you **were**	at a zoo,	you **might say**	you are 'near' an animal.

If+S+V(과거)   S+조동사의 과거형+동사원형

---

2 [절] 가정법 – 과거완료

대표 문장
고1 3월

만약 그 수표가 동봉되었다면,	그들은 답장을 보냈을까?	그렇게 빨리
If the check **had been enclosed**,	**would** they **have responded**	so quickly?

If+S+had p.p.   조동사의 과거형+S+have p.p.(의문문)

---

3 [절] 가정법 – I wish, as if

대표 문장
고1 9월 응용

그녀는	속삭였다	"이 가뭄이 끝난다면 좋을 텐데."
She	whispered,	"**I wish** the drought **would end**."

I wish+S+V(과거: 조동사의 과거형+동사원형)

대표 문장
고1 6월

너무도 많은 회사들이	광고한다	그들의 신제품들을	마치 그들의 경쟁자들이
Too many companies	advertise	their new products	**as if** their competitors

S   V(현재)   as if+S+V(과거)

존재하지 않는 것처럼

did not exist.

▶ 현재 사실의 반대되는 일을 가정할 때 가정법 과거를 사용한다.

가정법 과거
- 현재의 상황·사실과 반대되는 것을 가정 또는 상상하여 이야기하는 방식이다.
- if절 동사는 과거이지만, 실제로 의미하는 시제는 현재이다.

If+S+V(과거) ~, S+조동사의 과거형+동사원형 ….	(현재 사실의 반대) 만약 ~라면, …할 텐데.

▶ 과거 사실의 반대되는 일을 가정할 때 가정법 과거완료를 사용한다.

가정법 과거완료
- 과거의 상황·사실과 반대되는 것을 가정 또는 상상하여 이야기하는 방식이다.
- if절 동사는 과거완료이지만, 실제로 의미하는 시제는 과거이다.

If+S+had p.p. ~, S+조동사의 과거형+have p.p. ….	(과거 사실의 반대) 만약 ~했다면, …했을 텐데.

▶ I wish, as if 뒤에 가정법을 덧붙여 현재나 과거 사실의 반대되는 일을 가정할 수 있다.

I wish 가정법
- I wish 뒤에 가정법 과거/과거완료를 사용하여 현재/과거에 이룰 수 없는 소망을 표현할 수 있다.

I wish 가정법 과거	I wish(ed)+S+V(과거) ~.	~하면 좋을/좋았을 텐데.
I wish 가정법 과거완료	I wish(ed)+S+had p.p. ~.	~했으면 좋을/좋았을 텐데.

★ 소망(wish)하는 시점이 소망 내용의 시점과 일치할 때 I wish 가정법 과거를, 소망(wish)하는 시점보다 소망 내용의 시점이 먼저일 때 I wish 가정법 과거완료를 쓴다.

as if 가정법
- as if 뒤에 가정법 과거/과거완료를 사용하여 현재/과거의 사실과 반대되는 일이나 사실을 가정하여 나타낼 수 있다.

as if 가정법 과거	S+V ~ +as if+S+V(과거) ~.	마치 ~인 것처럼 …한다/했다.
as if 가정법 과거 완료	S+V ~ +as if+S+had p.p. ~.	마치 ~였던 것처럼 …한다/했다.

- 가정법 과거는 현재의 사실과 반대되는 상황을 가정할 때 사용하는 표현이다.
- 「If+S+V(과거) ~, S+조동사의 과거형+동사원형 ….」으로 나타내고, '만약 ~라면, …할 텐데.'로 해석한다.

대표 문장

514
고1 6월
응용

만약 당신이 동물원에 있다면,　　　 당신은 말할 것이다　　　 당신이 동물 '가까이에' 있다고
If you were at a zoo, / you **might say** [you are 'near' an animal].
If+S+V(과거)　　　　　　　 S+조동사의 과거형+동사원형

당신이 동물원에 있지 않기 때문에, 당신이 동물 '가까이에' 있다고 당신은 말하지 않을 것이다.
(= **As** you **are not** at a zoo, you **may not** say you are 'near' an animal.)

515
고1 3월

If gases were used up instead of being exchanged, **living things would die**.

exchange 교환하다

516
고1 6월

If we lived on a planet where nothing ever changed, there would be little to do.

517
고1 3월
응용

If you copied the picture many times, you would find that each time your drawing would get a little better, a little more accurate.

accurate 정확한

518
고1 3월
응용

Carnegie told her that if he wrote them a letter, he would get an immediate response.

immediate 즉각적인

☆**519**
고1 3월

Our children would be horrified if they were told they had to go back to the culture of their grandparents.

★ 가정법 if절은 문장 뒤에 오기도 한다.

520
고1 9월
응용

The woman suggested he might feel better if he had something to eat.

suggest (넌지시) 말하다

문장구조 + 영작하기

1	만약	기체들이	소모된다면	교환되는 대신에,		생명체들은

죽을 것이다

- 가정법 과거완료는 과거의 사실과 반대되는 상황을 가정할 때 사용하는 표현이다.
- 「If+S+had p.p. ~, S+조동사의 과거형+have p.p. …」로 나타내고, '만약 ~했다면, …했을 텐데.'로 해석한다.

대표 문장

521
고1 3월

만약 그 수표가 동봉되었다면,   그들은 그렇게 빨리 답장을 보냈을까?
If the check **had been enclosed**, / **would** they **have responded** so quickly?
    If+S+had p.p.   조동사의 과거형+S+have p.p. (의문문)

만약 그 수표가 동봉되었다면,   그들은 그렇게 빨리 답장을 보내지 않았을 것이다
→ **If** the check **had been enclosed**, / they **would not have responded** so quickly.
    If+S+had p.p.   S+조동사의 과거형+have p.p.

그 수표가 동봉되지 않기 때문에, 그들은 그렇게 빨리 답장을 보냈다.
(= **As** the check **wasn't enclosed**, they **responded** so quickly.)

522
고1 6월

If the decision to get out of the building **hadn't been made, the entire team would have been killed**.

decision 결정 entire 전체의

523
고1 3월

If Ernest Hamwi had taken that attitude when he was selling zalabia, a very thin Persian waffle, at the 1904 World's Fair, he might have ended his days as a street vendor.

attitude 태도 street vendor 노점 상인

**문장구조
+
영작하기**

1

만약	건물을 빠져나오라는 결정이	내려지지 않았다면	그 팀 전체가

사망했을지도 모른다

- I wish 가정법은 현재/과거의 이룰 수 없는 소망을 나타낼 때 사용한다.
- I wish 가정법 과거는 「I wish(ed)+S+V(과거) ~.」로 나타내고 '~하면 좋을/좋았을 텐데.'로 해석한다.
- I wish 가정법 과거완료는 「I wish(ed)+S+had p.p. ~.」로 나타내고 '~했으면 좋을/좋았을 텐데.'로 해석한다.

대표 문장

524
고1 9월
응용

그녀는   속삭였다   "이 가뭄이 끝난다면 좋을 텐데."
She / whispered, / "I wish [the drought would end]."
                    I wish   S+V(과거: 조동사의 과거형+동사원형)

(= She whispered, "**I am sorry** that the drought **won't end**.")

cf. • **I wish** the drought **would have ended**. (이 가뭄이 끝났다면 좋을 텐데.)
    • **I wished** the drought **would end**. (이 가뭄이 끝난다면 좋았을 텐데.)
    • **I wished** the drought **would have ended**. (이 가뭄이 끝났다면 좋았을 텐데.)

525
고1 6월

"**I wish** my life **were** the way it is in movies," I said with a sigh.

sigh 한숨

526
고1 3월

I only wish there were something I could say or do that would help ease the pain of your loss.

ease (고통을) 덜어주다

★**527**
고1 6월
응용

We sometimes wish that we were never informed about something.

inform 알리다

★ 「S+wish」 형태로 'I' 외에 다른 주어도 올 수 있다.

- as if 가정법은 현재/과거의 사실과 반대되는 상황을 가정할 때 사용한다.
- as if 가정법 과거는 「S+V ~ +as if+S+V(과거) ~.」로 나타내고 '마치 ~인 것처럼 …한다/했다.'로 해석한다.
- as if 가정법 과거완료는 「S+V ~ +as if+S+had p.p. ~.」로 나타내고 '마치 ~였던 것처럼 …한다/했다.'로 해석한다.

대표 문장
528
고1 6월

너무도 많은 회사들이   광고한다   그들의 신제품들을   마치 그들의 경쟁자들이
Too many companies / **advertise** / **their new products** [**as if** their competitors
        S   V(현재)   as if+S+V(과거)
존재하지 않는 것처럼
did not exist].

(→ **In fact**, their competitors **exist**.)

cf. • Too many companies **advertise** their new products **as if** their competitors **had not existed**.
    (너무나도 많은 회사들이 마치 그들의 경쟁자들이 존재하지 않았던 것처럼 그들의 신제품들을 광고한다.)
   • Too many companies **advertised** their new products **as if** their competitors **did not exist**.
    (너무나도 많은 회사들이 마치 그들의 경쟁자들이 존재하지 않는 것처럼 그들의 신제품들을 광고했다.)
   • Too many companies **advertised** their new products **as if** their competitors **had not existed**.
    (너무나도 많은 회사들이 마치 그들의 경쟁자들이 존재하지 않았던 것처럼 그들의 신제품들을 광고했다.)

529
고1 3월
응용

You should learn the role **as if you did have** the lead.   have the lead 주연을 맡다

530
고1 6월
응용

People in one group were told to relive the event as if it were happening again.

☆**531**
고1 9월
응용

As soon as he puts skis on his feet, it is as though he had to learn to walk all over again.

★ as though 가정법은 as if 가정법과 쓰임이 같다.

문장구조 + 영작하기

1

나는 ~면 좋겠어	내 삶이	영화 속에서 그런 것과 같다(면)	나는	말했다	한숨을 쉬며

2

당신은	배워야 한다	그 역할을	마치 ~처럼	당신이	정말 주연을 맡은 것(처럼)

UNIT 10 / REVIEW TEST 기출 문장 + 실력 점검

구조+해석 가정법 형태를 표시한 뒤, 문장을 바르게 해석하시오.

0
고1 3월
응용

If you were crossing a rope bridge / over a valley, / you'd likely stop talking.
If+S+V(과거)   S+조동사의 과거형+동사원형
→ 당신이 계곡 위의 밧줄 다리를 건너고 있다면, 당신은 아마 말하는 것을 멈출 것이다.

1
고1 3월
응용

If track bicycle racers didn't wear gloves, their hands would get terribly hurt every time they tried to stop.   track bicycle racer 경륜 선수

→ _____

2
고1 9월
응용

What would have happened if they had defined themselves as being in the mass transportation business?   define 규정하다

→ _____

3
고1 9월

I wish the city would build more community gardens and give the citizens like me a place to grow their own food.   community garden 공동 텃밭

→ _____

구문+문법 다음 문장에서 틀린 곳을 찾아 바르게 고치고, 빈칸을 완성하시오.

1
고1 6월
응용

If we lived in an unpredictable world, where things changed in random or very complex ways, we will not be able to figure things out.   unpredictable 예측 불가능한

→ 현재 사실의 반대를 가정하는 문장이므로, 「If+S+V (과거) ~, S+[_____]+동사원형 …」 형태의 가정법 [_____] 문장이 되어야 한다.

2
고1 9월
응용

Slowly, one by one, as if someone is dropping pennies on the roof, came the raindrops.

→ '마치 ~인 것처럼 …했다'라는 의미가 되도록, 「as if+S+[_____] ~」 형태의 가정법 구문으로 써야 한다. 부사구 Slowly ~가 문장 앞에 쓰여 주절의 동사 came과 주어 the raindrops가 도치되었다.

ANSWERS p. 172

ANSWERS

UNIT 2 / 문장의 형식

문장구조+영작하기 pp. 23-29

1
1 | The old man | answered | in three profound words. |
2 | There is | a significant difference | between them. |

2
1 | It | was | the eye | of a big dolphin. |
2 | The battery indicator light | turns | blue. |

3
1 | Audience feedback | assists | the speaker | in many ways. |
2 | He | came up with | a bright idea. |

4
1 | He | gave | his son | a hammer and a bag of nails. |
2 | Two and a half years later, | he | asked | them | the same question. |

5
1 | Soon, | each group | considered | the other | an enemy. |
2 | Stripes | don't keep | zebras | cool. |

REVIEW TEST pp. 30-31

구조+해석

1 Something ⟨in the here and now⟩ makes / you / mad.
　　　　　　S　　　　　　　　　　 V　　 O　　C
현시점의 무엇인가가 당신을 화나게 만든다.

2 An hour later, / he / returned / with the key.
　　　　　　　 　 S　　 V
한 시간 후, 그는 열쇠를 가지고 돌아왔다.

3 Some consumers / buy / baby products / for their soothing
　　　　 S　　　　 V　　 O
effect.
일부 소비자들은 진정 효과 때문에 유아용품을 구입한다.

4 There are / many evolutionary reasons ⟨for cooperation⟩.
　　　 V　　　 S
협동을 하는 많은 진화적인 이유가 있다.

5 Her mother / hugged / her / tightly / and looked at / the
　　　 S　　　 V₁　　 O₁　　　　　　　　 V₂　　　　
wound.
그녀의 어머니는 그녀를 꼭 껴안고 상처를 봤다.

6 He / showed / the woman / her picture.
　　 S　　 V　　　 IO　　　　 DO
그는 그 여자에게 그녀의 사진을 보여주었다.

7 In 1968, / Shirley / became / the United States' first
　　　　　　 S　　　 V　　　 C
congresswoman.
1968년에 Shirley는 미국 최초의 여성 하원 의원이 되었다.

구문+문법

1 2형식, 주어, 보어
2 3형식, 목적어
3 1형식, 동사, 주어
4 4형식, 간접목적어, 직접목적어
5 5형식, 목적어, 보어

0 Typically, / fingernails / grow / about 0.1 millimeters / a day.
　　　　　　　 S　　　　 V
일반적으로, 손톱은 하루에 약 0.1mm씩 자란다.

1 The evidence / is ⟨pretty much⟩ useless.
　　 S　　　　 V　　　　　　 C
그 증거는 거의 쓸모가 없다.

2 Some professionals / actually oppose / their position.
　　　 S　　　　　　 V　　　　　　　 O
일부 전문가들은 실제로 그들의 견해에 반대한다.

3 There was / a scene ⟨of joy⟩ beyond belief.
　　　 V　　　 S　　　　　　 M
믿을 수 없을 정도의 기쁨의 장면이 있었다.

4 She / gave / McMath / a gentle push.
　　 S　　 V　　 IO　　　 DO
그녀는 McMath를 살짝 밀어 주었다.

5 Never make / people / angry.
　　　 V　　　 O　　 C
절대 사람들을 화나게 하지 마시오.

UNIT **3** 동사의 종류

문장구조+영작하기
pp. 39-45

1 **1** Shaun | could not find | the words.

2 This | may cause | a release of chemicals | in the body.

2 **1** Students | must sign up | for our program | in advance | through our website.

2 As investors, | we | should not focus | on short-term losses.

3 **1** We | are | members | of the human race.

2 The opening celebration | will be | from 9 a.m. to 9 p.m.

4 **1** The feathers | on a snowy owl's face | guide sounds | to its ears.

2 I | learned | a big lesson | today.

REVIEW TEST
pp. 46-47

구조+해석

1 Effective change / does not have to be / time-consuming.
V (조동사(현재·부정)+동사원형)
효과적인 변화는 많은 시간이 걸릴 필요는 없다.

2 You / can buy / conditions for happiness, / but you / can't buy / happiness.
V₁(조동사(현재)+동사원형) V₂(조동사(현재·부정)+동사원형)
당신은 행복의 조건을 살 수 있지만, 행복을 살 수는 없다.

3 We / will accept / only one photo of you.
V(미래)
우리는 당신의 사진 한 장만을 받을 것이다.

4 Adults and children / may live / in the same world, / but reality for a child / is / vastly different.
V₁(조동사(현재)+동사원형)
V₂(현재)
어른들과 아이들은 똑같은 세상에 살지 모르지만, 아이에게 현실은 매우 다르다.

5 The number of nails / gradually decreased.
V(과거)
못들의 수는 점점 줄어들었다.

6 Your future / is not / your past / and you / have / a better future.
V₁(현재·부정) V₂(현재)
당신의 미래는 당신의 과거가 아니며 당신은 더 나은 미래가 있다.

7 We / should not underestimate / the old.
V(조동사(현재·부정)+동사원형)
우리는 옛것을 과소평가해서는 안 된다.

구문+문법

1 were → are, 현재형
2 direct → directs, 3인칭 단수, 「동사원형+(e)s」
3 get might → might get, 약한 추측, ~일지도[할지도] 모른다
4 bought → buy, must, 동사원형
5 are → was, 과거형

0 Every participant / will receive / a camp backpack.
V(미래)
모든 참가자는 캠프 배낭을 받을 것이다.

1 Now / we / are / seniors, / and my wife / must use / a wheelchair / for extended walks.
V₁(현재) V₂(조동사+동사원형)
이제 우리는 노인이고, 나의 아내는 장시간 산책하기 위해서는 휠체어를 사용해야 한다.

2 A complex hormonal regulation / directs / the growth of hair and nails.
V(현재)
복잡한 호르몬 조절 시스템은 머리카락과 손톱의 성장을 지휘한다.

3 You / might get / a clue / from the tone of voice.
V(조동사+동사원형)
당신은 목소리의 어조로부터 단서를 얻을지도 모른다.

4 You / have to cultivate / happiness; / you / cannot buy / it / at a store.
V₁(조동사+동사원형) V₂(조동사(부정)+동사원형)
당신은 행복을 길러가야만 한다; 당신은 그것을 가게에서 살 수 없다.

5 A long time ago, / there / was / a boy.
V(과거)
오래전에, 한 소년이 있었다.

문장구조+영작하기 pp. 53-61

1 1 | Advertising exchanges | are gaining | in popularity. |

2 | An old man | was coming | toward him | from across the parking lot. |

2 1 | Time and again, | communities | have studied water systems. |

2 | He | had just come | from the car wash | and | was waiting for | his wife. |

3 1 | Snakes | are honored | by some cultures. |

2 | In all cases, | 15 of the problems | were solved correctly. |

4 1 | My arm | was being lifted | forcibly. |

2 | His works | have been widely read | and still enjoy great popularity. |

5 1 | Constant exposure | to noise | is related to children's academic achievement. |

2 | Most people | were frightened of | flying. |

REVIEW TEST pp. 62-63

구조+해석

1 A slight smile / was spreading / over her face.
　　　　　　　　V(과거진행)
엷은 미소가 그녀의 얼굴에 번지고 있었다.

2 He / was eliminated / from the competition/ after all.
　　　　V(과거 수동태)
그는 결국 대회에서 탈락했다.

3 The store / is organized / by category, / and you / have shopped /
　　　　　　　V₁(현재 수동태)　　　　　　　　　V₂(현재완료)
in the store / repeatedly.
그 가게는 범주별로 정리되어 있고, 당신은 그 가게에서 반복적으로 쇼핑을 해 왔다.

4 My client / was holding / one leg / at a right angle / to his body.
　　　　　　　V(과거진행)
나의 고객은 한쪽 다리를 그의 몸에 직각으로 유지하고 있었다.

5 Advertising / has become / a necessity / in everybody's daily
　　　　　　　V(현재완료)
life.
광고는 모든 사람의 일상생활에서 필수적인 것이 되었다.

6 The boy's biggest weakness / had become / his biggest
　　　　　　　　　　　　　　　V(과거완료)
strength.
소년의 가장 큰 약점이 그의 가장 큰 강점이 되었다.

7 95 percent of mysterious deep-sea world / has never been
　　　　　　　　　　　　　　　　　　　　V(현재완료 수동태·부정)
seen / before.
신비로운 심해 세계의 95%는 예전에는 전혀 볼 수 없었다.

구문+문법

1 taught → was taught, 과거 수동태
2 by → on, by, 전치사
3 chose → chosen, 미래 수동태
4 being → been, 현재완료
5 help → helping, 현재진행형

0 This concept / has been discussed.
　　　　　　　V(현재완료 수동태)
이 개념은 계속 논의되어 왔다.

1 This distinctive accent / was taught widely / by pronunciation
　　　　　　　　　　　　　V(과거 수동태)
tutors.
이 독특한 악센트는 발음 지도 강사들에 의해 널리 가르쳐졌다.

2 Expectation / is actually based on / a person's past experiences.
　　　　　　　V(수동태+전치사)
기대는 실제로 사람의 과거 경험에 근거한다.

3 The one grand prize winner / will be chosen / by online voting.
　　　　　　　　　　　　　　V(미래 수동태)
대상 수상자 한 명은 온라인 투표를 통해 선택될 것이다.

4 There have been / few studies / on the relationships / between
　　　　V(현재완료)
verbal and nonverbal communication.
언어적 의사소통과 비언어적 의사소통 간의 관계에 관한 연구는 거의 없었다.

5 On college campuses in the U.S., / some animals / are helping /
　　　　　　　　　　　　　　　　　　　　　　　V(현재진행)
students in need.
미국의 대학 캠퍼스에서 몇몇 동물들이 도움이 절실한 학생들을 도와주고 있다.

UNIT 5 / 동사의 주어, 목적어, 보어 역할

문장구조＋영작하기 pp. 71-81

1
1 | Climbing stairs | provides | a good workout. |
2 | It | is | a mistake | to reward | all of your child's accomplishments. |

2
1 | We | keep | searching for answers | on the Internet. |
2 | The organization | agreed | to transport | the T-shirts on their next trip to Africa. |

3
1 | Kevin | said, | "Thanks," | and continued | wiping off his car. |
2 | He | had unfortunately forgotten | to include | the check. |

4
1 | Their job | was | to look into the pipe | and fix the leak. |
2 | "Mixed-signals" | can be | confusing. |

5
1 | Experts | advise | people | to take the stairs | instead of the elevator. |
2 | That ability | let | our ancestors | outmaneuver and outrun prey. |

6
1 | I | heard | something | moving slowly | along the walls. |
2 | You | want | the TV | installed. |

REVIEW TEST pp. 82-83

구조＋해석

1 It / was / hard / for me / to remove my weight belt.
S (가주어) 　　　S'(진주어: to부정사구)
나는 웨이트 벨트를 벗기가 힘들었다.

2 Please / do not hesitate / to ask.
　　　　　　　　　　O (to부정사)
주저하지 말고 요청하십시오.

3 The player / must avoid / crashing into a wall on the roadway.
　　　　　　　　　　　O (동명사구)
게임 참가자는 도로에서 벽과 충돌하는 것을 피해야 한다.

4 The habit of reading books multiple times / encourages /
　　　　　　전치사의 목적어(동명사구)
people / to engage with them emotionally.
　　　　C(to부정사구)
책을 여러 번 읽는 습관은 사람들로 하여금 그 책과 감정적으로 연결되게 한다.

5 The purpose of building systems / is / to continue playing
　　　　　전치사의 목적어(동명사구)　　　　　C(to부정사구)
the game.
시스템을 구축하는 목적은 게임을 계속하기 위한 것이다.

6 The seller / was / very interested / in closing the deal.
　　　　　　　　C(과거분사)　　전치사의 목적어(동명사구)
그 판매자는 거래를 매듭짓는 것에 매우 관심이 있었다.

7 Church / started / nursing again at Milwaukee County
　　　　　　　　　　　　O(동명사구)
Hospital.
Church는 Milwaukee County 병원에서 다시 간호사 일을 시작했다.

구문＋문법

1 keeping → to keep, to부정사
2 learning → to learn, to부정사
3 to beat → beating, 동명사
4 live → living[to live], 동명사, to부정사
5 to feel → feel, 원형부정사

0 Being funny / is / a set of skills.
　 S(동명사구)　 V
재미있다는 것은 일련의 기술들이다.

1 We / will try / to keep your inconveniences to a minimum.
　　　　V　　　　　O(to부정사구)
우리는 당신의 불편을 최소화하기 위해 노력할 것이다.

2 She / decided / to learn to read.
　　　　V　　　O(to부정사구)
그녀는 읽는 것을 배우기로 결심했다.

3 Their hearts / stopped / beating.
　　　　　　　　V　　　O(동명사)
그들의 심장은 뛰는 것을 멈추었다.

4 The best way / is / living at the "sweet spot."
　　　　　　　V　　C(동명사구)
최상의 방법은 "sweet spot"에 머무르는 것이다.

5 How does / a leader / make / people / feel important?
　　　　　　　　　　V　　O　　C(원형부정사)
지도자는 어떻게 사람들이 (자기가) 중요하다고 느끼게 하는가?

문장구조 + 영작하기
pp. 89-97

1 1 | Clearly, | the class | requires | a teacher to teach it and students to take it. |

2 | There is | no one | to stand up and cheer you on. |

2 1 | He | was | a responsible man | dealing with an irresponsible kid. |

2 | This | is | the daily experience of parents | troubled by constant quarreling | between toddlers. |

3 1 | In order to grow, | fingernails | need | glucose. |

2 | As the only new kid in the school, | she | was pleased to have a lab partner. |

4 1 | A single decision | is | easy | to ignore. |

2 | The backyard grass | was too high | to mow. |

5 1 | Seeing this, | everyone | was surprised. |

2 | Consider | the mind of a child: | having experienced so little, | the world | is | a mysterious and fascinating place. |

REVIEW TEST
pp. 98-99

구조 + 해석

1 In order to learn language, / an infant / must make sense of /
<u>to부정사구(목적)</u>
the contexts.
언어를 배우려면, 유아는 맥락을 이해해야 한다.

2 In early 19th century London, / a young man 〈named Charles
과거분사구(명사구 수식)
Dickens〉 had / a strong desire 〈to be a writer〉.
to부정사구(명사구 수식)
19세기 초 런던에서, Charles Dickens라는 이름의 한 젊은이는 작가가 되고자
하는 강한 열망을 가지고 있었다.

3 The Amondawa tribe, 〈living in Brazil〉, does not have / a
현재분사구(명사구 수식)
concept of time.
브라질에 사는 Amondawa 부족에게는 시간의 개념이 없다.

4 A spectator / stands up / to get a better view, / and a chain
to부정사구(목적)
reaction / follows.
한 관중이 더 잘 보기 위해 일어서고, 뒤이어 연쇄 반응이 일어난다.

5 He / was / eager 〈to go see her〉, but he / was / too poor 〈to
to부정사구(형용사 수식)
buy a ticket for a long-distance bus to his hometown〉.
too+형용사+to부정사구
그는 그녀를 보러 가고 싶었지만, 너무 가난해서 그의 고향으로 가는 장거리 버스표
를 살 수가 없었다.

6 〈When given too often for too little〉, it / kills / the impact of
시간 접속사+분사구문(수동)
real praise.
너무 적은 정도로 너무 자주 주어질 때, 그것은 진정한 칭찬의 영향을 죽이게 된다.

7 〈Lying on the floor in the corner of the crowded shelter〉,
분사구문(동시동작)
〈surrounded by bad smells〉, I / could not fall asleep.
분사구문(수동·동시동작)
붐비는 대피소 구석의 바닥에 누워 불쾌한 냄새에 둘러싸인 채, 나는 잠들 수 없었다.

구문 + 문법

1 leaving → to leave, to부정사

2 embarrassed → embarrassing, 현재분사

3 Getting → To get, 목적, to부정사

4 enough well → well enough, 부사+enough

5 freezing → (being) frozen, 「(being+)p.p. ~」

0 In philosophy, / the best way 〈to understand the concept of
to부정사구(명사구 수식)
an argument〉 is / to contrast it with an opinion.
철학에서, 논증의 개념을 이해하는 가장 좋은 방법은 의견과 대조하는 것이다.

1 He / told / his boss / of his plans 〈to leave the house-building
to부정사구(명사구 수식)
business〉.
그는 자신의 사장에게 주택 건축업을 그만두겠다는 계획을 이야기했다.

2 Learning to ski / is / one of the most embarrassing experiences.
현재분사 ↝ 명사
스키 타는 것을 배우는 것은 가장 당혹스러운 경험들 중의 하나이다.

3 To get your new toaster, / simply take / your receipt and the
to부정사구(목적)
faulty toaster / to the dealer.
당신의 새 토스터를 받으려면, 그저 당신의 영수증과 고장 난 토스터를 판매인에게
가져가라.

4 They / can do / well enough 〈to earn merit badges〉.
부사+enough+to부정사구
그들은 칭찬 배지를 받을 만큼 충분히 잘할 수 있다.

5 Freshly caught fish and duck, 〈frozen quickly in such a fashion〉,
과거분사 ↝ 명사구   분사구문(수동·시간)
kept / their taste and texture.
갓 잡은 물고기와 오리가 이런 방식으로 급속히 얼려졌을 때 맛과 질감을 유지했다.

UNIT 7 / 절의 주어, 목적어, 보어 역할

문장구조 + 영작하기 pp. 107-113

1 **1** Whether I liked | living in a messy room | or not | was | another subject.

2 How a person approaches the day | impacts | everything else | in that person's life.

2 **1** I believe | (that) the second decade | of this new century | is already very different.

2 Many factors | determine | what we should do.

3 **1** I | asked | if she worked | with the airline.

2 The researchers | measured | how much | these participants | expected | a positive outcome.

3 Do not base | your decision | on what yesterday was.

4 **1** An important question | is | whether emoticons help | Internet users | to understand emotions | in online communication.

REVIEW TEST pp. 114-115

구조+해석

1 People / get [what they desire] with their hard-earned money.
　　　　　O(what절: what+S+V)
사람들은 힘들게 번 돈으로 그들이 원하는 것을 얻는다.

2 *Show* [how the gentle wind touches the edge of her silky,
　　　　　　　　O(의문사절: how+S+V ~)
brown hair].
부드러운 바람이 그녀의 비단 같은 갈색 머리카락 끝을 어떻게 어루만지는지 '보여 줘라.'

3 They / don't feel [they have to support their opinions with
　　　　　　　　　　O(that절: (that+)S+V ~)
any kind of evidence].
그들은 그들이 자신들의 의견을 어떤 종류의 증거로도 뒷받침할 필요가 있다고 느끼지 않는다.

4 No one / knows [what colors dinosaurs actually were].
　　　　　　　　O(의문사절 what+명사+S+V)
공룡이 실제로 어떤 색이었는지 아무도 모른다.

5 [What this means] is [that the evidence is based on the
　S(What절: What+S+V)　　　　C(that절: that+S+V ~)
personal opinions from a small sample].
이것이 의미하는 것은 그 증거가 소수의 표본에서 얻은 개인적 의견에 근거한다는 것이다.

6 She / wondered [why white people had all kinds of nice
　　　　　　　　O(의문사절: why+S+V ~)
things].
그녀는 왜 백인들이 온갖 종류의 좋은 것들을 가지고 있는지 궁금했다.

7 He / asked [if he could have Toby's shirt].
　　　　　　O(if절: if+S+V ~)
그는 자신이 Toby의 셔츠를 가질 수 있는지 물었다.

구문+문법

1 disclosure much → much disclosure, 전치사의 목적어, 형용사 +S+V

2 are you → you are, 의문사+(S+)V

3 what → that 또는 what 삭제, 목적어, that

4 that → if[whether], if[whether]

5 what → that, 보어, that

0 The good coach / points out [what could be improved], / but
　　　　　　　　　　　　　O(what절: what+V)
will then tell / you [how you should perform].
　　　　　　IO　　DO(의문사절: how+S+V)
훌륭한 코치는 개선될 수 있는 것을 지적하지만, 그 후에 너에게 어떻게 해야 하는지에 대해 말할 것이다.

1 Ideas about [how much disclosure is appropriate] vary /
　　　　　　　전치사의 목적어(의문사절: how+S+V ~)
among cultures.
얼마나 많은 정보를 공개하는 것이 적절한지에 관한 생각은 문화마다 다르다.

2 Do you / really know [what you are eating]?
　　　　　　　　　　O(what절: what+S+V)
당신은 당신이 무엇을 먹고 있는 것인지 정말 아는가?

3 The fact / does not mean [that she has fully forgiven you].
　　　　　　　　　　　O(that절: that+S+V ~)
그 사실은 그녀가 여러분을 온전히 용서했다는 뜻이 아니다.

4 Amy / wondered [if Mina chose her].
　　　　　　　　O(if절: if+S+V ~)
Amy는 미나가 자신을 선택했는지 궁금했다.

5 [What you may not appreciate] is [that the quality of light may
　S(What절: What+S+V)　　　　　C(that절: that+S+V)
be important].
여러분이 인식하지 못할 수도 있는 것은 빛의 질이 중요할 수 있다는 것이다.

문장구조 + 영작하기 pp. 121-133

1 1 | Many people | face | barriers | that prevent such | choices.

2 | He | was | an economic historian | whose work has | centered | on the study of business history.

2 1 | People | usually exaggerate | about the time | they | waited.

2 | The teacher | wrote back | a long reply | in which | he dealt with thirteen | of the questions.

3 1 | This | is | one of the reasons | why | people | still go | to cinemas | for good films.

2 | The graph | shows | how | people | in five countries | consume | news videos.

4 1 | He developed his passion for photography | in his | teens, | when he became | a staff photographer | for his high school paper.

5 1 | While | Mary walked the doll | around the room, | her eyes | fell upon a book.

2 | If | a person starts the day | with a positive mindset, | that person | is more likely | to have a positive day.

6 1 | Some bacteria | produce | oxygen | so that | we can | breathe | on Earth.

2 | While | the number of tourists to Istanbul | increased | steadily, | Antalya | received | less tourists | compared to the previous year.

7 1 | As | I | loved | driving | very much, | we | moved | onto talking about cars.

2 | She | had fallen | so often | that | she | sprained | her ankle.

REVIEW TEST pp. 134-135

구조 + 해석

1 Vinci's attitude / stands / strongly against today's culture
선행사
[where we emphasize positivity too much].
└─ 관계부사절(where+S+V ~)
Vinci의 태도는 긍정을 너무 강조하는 오늘날의 문화와 크게 대조된다.

2 They / may be saying / things [that are intentionally designed
선행사 └─ 관계대명사절(that+V ~)
to annoy you].
그들은 당신을 화나게 하기 위해 의도적으로 고안된 말을 하고 있을지도 모른다.

3 Food labels / are / a good way / to find the information / about
the foods [you eat].
선행사 └─ 관계대명사절(which [that] 생략)
식품 라벨은 당신이 먹는 식품에 관한 정보를 알아내는 좋은 방법이다.

4 She / admired / the work of Edgar Degas, [which was a great
선행사(절) 관계대명사절(which+V ~)
inspiration].
그녀는 Edgar Degas의 작품에 감탄했고, 그것은 큰 영감이 되었다.

5 The culture [that we inhabit] shapes [how we think in the
선행사 └─ 관계대명사절(that+S+V) 관계부사절(선행사 the way 생략)
most pervasive ways].
우리가 살고 있는 문화는 가장 널리 퍼져있는 방식으로 우리가 생각하는 방식을 형성한다.

6 [Although biases will always occur in science], the peer review
양보의 부사절(Although+S+V ~)
system / can minimize / their effects.
비록 편견이 과학에서 언제나 발생하지만, 동료 검토 체제가 그것들의 영향을 최소화할 수 있다.

7 Public speaking / is / audience centered [because speakers
이유의 부사절(because + S + V ~)
"listen" to their audiences during speeches].
연사들은 연설하는 동안 청중에게 '귀 기울이기' 때문에 대중 연설은 청중 중심이다.

구문 + 문법

1 that → which, that, 전치사
2 which → where, this area, 관계부사 where
3 which → who[that], marketers, 주어
4 don't pay → pay, ~하지 않는다면
5 that → which, which, 선행사

0 [When you make a person feel a great sense of importance],
시간의 부사절(When+S+V ~)
he or she / will feel / on top of the world.
당신이 누군가에게 (그 자신이) 아주 중요한 사람이라는 의식을 느끼게 하면, 그 사람은 의기양양해질 것이다.

1 The emotion itself / is tied / to the situation [in which it originates].
선행사 └─ 전치사+관계대명사절
그 감정 자체는 그것이 일어나는 상황과 연결되어 있다.

2 Hunger / wasn't / the only problem / in this area [where poverty
was everywhere].
선행사 └─ 관계부사절(where+
S+V ~)
가난이 도처에 있는 이 지역에서 배고픔이 유일한 문제는 아니었다.

3 Advertising exchanges / are gaining / in popularity, / especially
among marketers [who don't have a large sales team].
선행사 └─ 관계대명사절(who+V ~)
광고 교환은 인기를 얻고 있는데, 특히 대규모 영업팀이 없는 마케팅 담당자들 사이에서 그러하다.

4 You / can't eat / dinner [unless you pay me for my superior
cooking skills].
조건의 부사절(unless+S+V ~)
너는 나의 뛰어난 요리 솜씨에 대해 나에게 돈을 지불하지 않으면 저녁을 먹을 수 없다.

5 Her work on vitamin B12 / was published / in 1954, [which led
선행사(절) 관계대명사절
to her being awarded the Nobel Prize in Chemistry in 1964].
(which+V ~)
비타민 B12에 관한 그녀의 연구는 1954년에 발표되었는데, 이는 그녀가 1964년에 Nobel 화학상을 받는 것으로 이어졌다.

UNIT 9 / 색다른 단어와 구

문장구조 + 영작하기 pp. 143-151

1 1 | It | was | too hot | even for a sheet. |

2 | It was | his self-confidence | that enabled | him | to achieve | anything | he went after. |

2 1 | Over time, | it | became | clear | that he couldn't do a good job at both. |

2 | The arrangement by category | makes | it | easy for you | to memorize | the store's layout. |

3 1 | He | turned and disappeared | as quickly as | he had come. |

2 | For health science invention, | the percentage of female respondents | was | twice as high as | that of male respondents. |

4 1 | The actions of others | often speak volumes | louder than | their words. |

2 | They need me | a lot more than | baseball does. |

5 1 | You've mastered | one of the most difficult throws in all of judo. |

2 | No other country exported | more rice than India in 2012. |

REVIEW TEST pp. 152-153

구조 + 해석

1 It's / great ⟨to have people / in your life / who believe in you
S(가주어)　　　　　S'(진주어: to부정사구)
and cheer you on⟩.
당신의 인생에서 당신을 믿고 응원하는 사람들이 있다는 것은 좋은 일이다.

2 Technology / makes / it / much easier ⟨to worsen a situation /
　　　　　　O(가목적어) 비교급 강조+비교급 O'(진목적어: to부정사구)
with a quick response⟩.
기술은 성급한 반응으로 상황을 악화시키는 것을 더 쉽게 만든다.

3 It / is / necessary ⟨to drink / as much water as possible / to
S(가주어)　　　　　 S'(진주어: to부정사구)　 as+원급+as possible
stay healthy⟩.
건강을 유지하기 위해 가능한 한 많은 물을 마시는 것이 필요하다.

4 They / believe [the earlier / kids start / to use computers, /
　　　　　　　　the+비교급
the more familiarity / they will have / when using other digital
the+비교급
devices].
그들은 아이들이 컴퓨터를 더 일찍 사용하면 할수록 그들이 다른 디지털 기기 사용에 더 많은 친숙함을 가질 것이라고 믿는다.

5 Learning to ski / is / one of the most embarrassing
　　　　　　　　　　　　 one of the+최상급+복수명사
experiences [an adult can undergo].
스키 타는 것을 배우는 것은 성인이 겪을 수 있는 가장 당혹스러운 경험들 중 하나이다.

6 It / was / seven o'clock / and the start of / one of the worst
S(비인칭주어)　 시각　　　　　 one of the+최상급+복수명사
nights / of my life.
7시였고, 내 인생 최악의 밤들 중 하나의 시작이었다.

7 It is / the story in history [that provides / the nail / to hang
It is　 강조 어구(S)　　　 that　　 나머지 어구(V + O ~)
facts on].
사실을 걸기 위한 못을 제공하는 것은 바로 역사 속의 이야기이다.

구문 + 문법

1 what → that[which], it wasn't ~ that ...

2 decision → decisions, 복수명사

3 very → much[even, still, a lot, (by) far], 훨씬

4 so → as, as

5 fast → faster, 비교급

0 It / is / impossible / for a man of many trades ⟨to be skilled in
S(가주어)　　　　　 의미상 주어　　　　 S'(진주어: to부정사구)
all of them⟩.
여러 직종에 종사하는 사람이 그 직종 모두에 능숙하기는 불가능하다.

1 Suddenly, / he realized [that it wasn't / the money, / (real or
　　　　　　　　　　　　　 it wasn't　 강조 어구(S)
imagined), [that had turned / his life around].
　　　　　　 that　　　 나머지 어구(V+O ~)
갑자기, 그는 자신의 인생을 변화시킨 것은 진짜이든 상상이든 그 돈이 아니었다는 것을 깨달았다.

2 This / led to / one of the most difficult decisions / of Tim's life.
　　　　　　 one of the+최상급+복수명사
이것으로 인해 Tim은 인생에서 가장 힘든 결정들 중 하나에 이르게 되었다.

3 Now / the word 'near' / means / much longer than / an arm's
　　　　　　　　　　　　　 비교급 강조　 비교급+than
length away.
이제 'near'이라는 단어는 팔 하나 만큼의 길이보다 훨씬 더 길다는 것을 의미한다.

4 They / were asked / to describe / it / as fully as possible / to
　　　　　　　　　　　　　　 as+원급+as possible
other students.
그들은 다른 학생들에게 그것을 가능한 한 충분히 묘사할 것을 요청받았다.

5 "I / can walk / faster than / you think!" / Grandmother / replied,
　　　　　　 비교급+than
/ with a smile.
"나는 네가 생각하는 것보다 더 빨리 걸을 수 있어."라고 할머니가 미소를 지으며 대답했다.

문장구조 + 영작하기

pp. 158-161

1 **1** | If | gases | were used up | instead of being exchanged, | living things | would die. |

2 **1** | If | the decision to get out of the building | hadn't been made, | the entire team | would have been killed. |

3 **1** | "I wish | my life | were the way it is in movies," | I | said | with a sigh. |

2 | You | should learn | the role | as if | you | did have the lead. |

REVIEW TEST

p. 162

구조 + 해석

1 If track bicycle racers didn't wear gloves, / their hands would
  If+S+V(과거)   S+조동사의 과거형+동사원형
get terribly hurt [every time they tried to stop].

만약 경륜 선수들이 장갑을 끼지 않는다면, 그들이 멈추려 할 때마다 그들의 손은 심한 상처를 입을 것이다.

2 What would have happened / if they had defined themselves
   S+조동사의 과거형+have p.p.   if+S+had p.p.
/ as being in the mass transportation business?

만약 그들이 자신들을 대량 운송 사업에 있는 것으로 규정했더라면 어떤 일이 발생했을까?

3 I wish [the city would build more community gardens / and
     S+조동사의 과거형+동사원형₁
give / the citizens like me / a place ⟨to grow their own food⟩].
동사원형₂

나는 시 당국이 더 많은 공동 텃밭을 만들어서 나와 같은 시민들에게 작물을 재배할 수 있는 장소를 주었으면 좋겠다.

구문 + 문법

1 will → would, 조동사의 과거형, 과거
2 is → were, V(과거)

1 If we lived / in an unpredictable world, [where things /
    If+S+V(과거)
changed / in random or very complex ways], / we would not
                                              S+조동사의 과거형+
be able to figure things out.
동사원형

만약 우리가 현상들이 임의적이거나 매우 복잡한 방식으로 변하는 예측 불가능한 세상에서 산다면, 우리는 그 현상들을 이해할 수 없을 것이다.

2 Slowly, / one by one, / as if someone was dropping pennies
                                as if+S+V(과거)
/ on the roof, / came / the raindrops.
              V(과거)   S(도치)

천천히, 하나하나씩, 마치 누군가가 지붕에 동전을 떨어뜨리는 것처럼 빗방울이 떨어졌다.

#차원이_다른_클라쓰
#강의전문교재
#고등교재

수학 교재

●쉬운 개념서
짤강수학   예비고~고3
수학(상), 수학(하), 수학Ⅰ, 수학Ⅱ, 확률과통계, 미적분

●쉬운 입문서
수학입문   예비고~고3
수학(상), 수학(하), 수학Ⅰ, 수학Ⅱ

●수학 기본서
수학의 힘 알파   고1~고3
수학(상), 수학(하), 수학Ⅰ, 수학Ⅱ, 확률과통계, 미적분

●문제 유형서
수학의 힘 베타   고1~고3
수학(상), 수학(하), 수학Ⅰ, 수학Ⅱ, 확률과통계, 미적분

●4주 집중학습 기출문제집
내신 꼭   고1~고3
고등수학, 수학Ⅰ, 수학Ⅱ

영어 교재

●종합 기본서
체크체크 고등영어   예비고~고1

●고등 영어의 시작
처음 만나는 수능 구문   예비고~고2
Starter, Basic

●고등 영어의 시작
처음 만나는 수능 어법   예비고~고2
Starter, Basic

●필수 어휘 총 정리서
바로 VOCA   예비고~고1
고교기본, 수능필수

기출문장으로 공략하는

처음 만나는 수능 구문

구문분석노트

입문

CHUNJAE
EDUCATION, INC.

구문분석노트
포인트 3가지

▶ 핵심 개념과 기출문장을 모두 수록

▶ 혼자서도 이해할 수 있는 친절한 기출문장 분석

▶ 빠른 해석을 위한 직독직해 수록

Contents

- 주어(S)는 동작이나 상태의 주체가 되는 말로, '~은/는, ~이/가'로 해석한다.
- 주로 문장 맨 앞에 오며, 부사(구)가 먼저 나오는 경우나 의문문에서는 중간에 오기도 한다.
- 주어 자리에는 기본적으로 명사와 대명사가 온다.

구문 노트

그는 / 열었다 / 그의 지갑을

001 **He** / opened / his wallet.

고1 6월 　S(대명사)

→ 문장 맨 앞에 대명사가 주어로 쓰였다.

그들은 / 피한다 / 도전을

002 **They** / avoid / challenges.

고1 9월 　S(대명사)

Amy는 / 고개를 끄덕이며 쳐다보았다

003 **Amy** / nodded and stared.

고1 6월 　S(명사)

→ 명사가 주어로 쓰였다.

비가 / 부딪힌다 / 앞 유리에

004 **Rain** / hits / the windscreen.

고1 9월
응용 　S(명사)

기술은 / 지니고 있다 / 의문의 여지가 있는 이점을

005 **Technology** / has / doubtful advantages.

고1 3월 　S(명사)

Fawn과 Sam은 / ~이었다 / 두 명의 행복한 사람들

☆**006** **Fawn and Sam** / were / two happy people.

고1 6월 　　S(명사)

→ 주어가 Fawn과 Sam 두 명이므로
복수 취급한다.

안도의 숨을 내쉬며, / 나는 / 받았다 / 나의 지갑을

☆**007** With a sigh of relief, / **I** / took / my wallet.

고1 6월
응용 　　　　S(대명사)

→ 부사구가 앞에 나와서 주어가 문장
중간에 있다.

어느 날, / 한 편집자가 / 알아봤다 / 그를

008 One day, / **one editor** / recognized / him.

고1 6월
응용 　　　S(명사)

- 동사(V)는 주어의 동작이나 상태를 나타내는 말로, '~이다/~하다'로 해석한다.
- 주로 주어 뒤에 오며, 주어의 인칭과 수(단수/복수)에 영향을 받아 형태가 달라진다.
- 동사는 크게 be동사(am/is/are, was/were)와 일반동사로 구분된다. LINK UNIT 3-3 ~ 3-4

		구문 노트 ✏
참가비는 / ~이다 / 8달러 / 한 사람당		
009 The participation fee / **is** / $8 / per person.		→ 3인칭 단수 주어 뒤에 be동사 is가
고1 9월 응용　　S(3인칭 단수)　　　　V		쓰였다.
나는 ~이다 / 매우 자랑스러워하는 / 너를		
010 I'm / so proud / of you.		→ 1인칭 단수 주어 뒤에 be동사 am이
고1 9월 응용　　V / S(1인칭 단수)		쓰였다.
		→ be동사는 주어로 쓰인 대명사와 함
인간들은 / ~이다 / 최고의 장거리 달리기 선수들		께 줄여 쓸 수 있다.
011 Humans / **are** / champion long-distance runners.		→ 3인칭 복수 주어 뒤에 be동사 are가
고1 6월　　S(3인칭 복수)　　V		쓰였다.
우리는 / 필요로 한다 / 당신의 승인과 협조를		
012 We / **need** / your blessing and support.		→ 1인칭 복수 주어 뒤에 일반동사가 쓰
고1 6월 응용　　V / S(1인칭 복수)		였다.
대부분의 사전은 / 목록에 싣고 있다 / 유명한 사람들의 이름을		
013 Most dictionaries / **list** / names of famous people.		→ 3인칭 복수 주어 뒤에 일반동사가
고1 3월　　　S(3인칭 복수)　　　V		쓰였다.
해답은 / ~ 있다 / 인간의 본성에		
☆ **014** The answer / **lies** / in human nature.		→ 3인칭 단수 주어 뒤에 「일반동사+s」
고1 9월　　S(3인칭 단수)　　V		가 쓰였다.
그 미술관은 / 개최한다 / 다수의 새로운 전시회를 / 여름 동안		
015 The museum / **hosts** / many new exhibits / during the summer.		
고1 6월 응용　　S(3인칭 단수)　　V		
보통의 식료품점은 / 취급한다 / 만 개가 넘는 품목을		
016 The average grocery store / **carries** / over 10,000 items.		
고1 3월 응용　　　　S(3인칭 단수)　　　　V		

- 목적어(O)는 동사가 나타내는 동작의 대상을 나타내는 말로, '~을/를'로 해석한다.
- 주로 동사 뒤에 오고 주어와 다른 대상이며, 목적어 자리에는 기본적으로 명사와 대명사가 온다.
- 동사에 따라 '~에게'로 해석하는 간접목적어(IO)와 '~을/를'로 해석하는 직접목적어(DO) 두 개가 함께 오는 경우도 있다.
- 주어와 목적어가 같을 때, 목적어 자리에는 재귀대명사(-self/-selves: ~스스로, ~자신)가 온다.

	구문 노트 ✏

패스트 패션은 / 훼손한다 / 환경을

017 Fast fashion / hurts / **the environment.**

고1 9월 응용   V   O(명사)

→ 명사가 목적어로 쓰였다.

연민은 / 필요로 한다 / 연습을

018 Compassion / takes / **practice.**

고1 6월 응용   V   O(명사)

그녀는 / 집필하였다 / 36권의 책을

019 She / wrote / **thirty six books.**

고1 6월   V   O(명사)

그녀는 / 준다 / Angela에게 / 그녀의 젖병을

☆ **020** She / gives / **Angela** / **her bottle.**

고1 3월 응용   V   IO(명사)   DO(명사)

→ 명사 두 개가 각각 직접목적어와 간접목적어로 쓰였다.

그는 / 물었다 / 그 남자에게 / 그의 이름을

021 He / asked / **the man** / **his name.**

고1 6월 응용   V   IO(명사)   DO(명사)

→ 주로 직접목적어는 사람, 간접목적어는 사물이다.

나는 / 제공했다 / 그에게 / 약간의 돈을

022 I / offered / **him** / **some money.**

고1 9월 응용   V   IO(대명사)   DO(명사)

→ 대명사가 직접목적어로, 명사가 간접목적어로 쓰였다.

어린 아이들은 / 표현한다 / 그들 자신을 / 창의적으로

☆ **023** Young children / express / **themselves** / creatively.

고1 6월 응용   S   V   O(재귀대명사)
             (=)

→ 재귀대명사가 목적어로 쓰였으므로, '주어 = 목적어'의 관계이다.

그는 / 내던졌다 / 그 자신을 / 공중으로

024 He / launched / **himself** / into the air.

고1 9월 응용   S   V   O(재귀대명사)
           (=)

- 보어(C)는 주어나 목적어를 보충 설명하는 말로, 주격보어와 목적격보어가 있다.
- 주어를 보충 설명하는 주격보어는 동사 뒤에 오며, '(주어)는 ~이다/~하다'로 해석한다.
- 목적어를 보충 설명하는 목적격보어는 목적어 뒤에 오며, '(목적어)를 ~라고 하다/(목적어)가 ~하다'로 해석한다.
- 보어 자리에는 기본적으로 명사, 대명사, 형용사가 온다.

		구문 노트 ✎

세상은 / ~이다 / 재미있는 장소

025 The world / is / **a funny place**.
고1 9월 응용   S ___(=)___ C(명사)

→ 명사가 주격보어로 쓰였다.

→ 보어가 명사일 때는 '주어 = 보어'의 관계이다.

당신은 / ~이다 / 천사

026 You / are / **an angel**!
고1 6월 응용   S ___(=)___ C(명사)

1958년에 / 그는 / ~이 되었다 / 직원 / Philadelphia Evening Bulletin의

027 In 1958, / he / became / **staff** / at the *Philadelphia Evening Bulletin*.
고1 9월 응용   S ___(=)___ C(명사)

물은 / ~이다 / 필수적인 / 모든 생물에게

☆ **028** Water / is / **essential** / to all life.
고1 3월 응용   S ___ C(형용사)

→ 형용사가 주격보어로 쓰였다.

→ 보어가 형용사일 때는 주어의 상태나 성질을 보충 설명한다.

그 부자는 / ~이었다 / 매우 불친절하고 잔인한 / 그들에게

029 The rich man / was / **very unkind and cruel** / to them.
고1 3월   S ___ C(형용사)

당신의 행동은 / 보인다 / 로봇 같이

030 Your actions / seem / **robotic**.
고1 6월 응용   S ___ C(형용사)

신문기사 헤드라인은 / 불렀다 / 그 남자를 / '단어 철자 맞히기 대회 영웅'이라고

☆ **031** Newspaper headlines / called / the man / **a "spelling bee hero."**
고1 6월 응용   O ___(=)___ C(명사)

→ 명사가 목적격보어로 쓰였고, '목적어 = 보어'의 관계이다.

몇몇 사람들은 / 알게 되었다 / 그 설명이 / 충분하지 않다는 것을

032 Some people / found / the explanations / **inadequate**.
고1 9월 응용   O ___ C(형용사)

→ 형용사가 목적격보어로 쓰여 목적어의 상태를 보충 설명하고 있다.

- 수식어(M)는 단어나 문장을 꾸며 주어 의미를 더 풍부하게 해 주는 말이다.
- 수식어로는 기본적으로 형용사와 부사가 있고, 주로 수식하는 대상 앞이나 뒤에 온다.
- 형용사는 주어, 목적어, 보어로 쓰인 명사를 수식하고, '~의/~인/~한'으로 해석한다.

구문 노트 🖊

위대한 예술가들은 / 보낸다 / 셀 수 없이 많은 시간을 / 그들의 스튜디오에서

033
고1 9월
응용

Great artists / spend / **countless** hours / in their studios.

M(형용사) ⤳ S(명사)　　M(형용사) ⤳ O(명사)

→ 형용사 수식어가 각각 주어와 목적어로 쓰인 명사를 수식하고 있다.

보통 로봇은 / 보인다 / 이미 정해진 행동들을

034
고1 3월
응용

The **normal** robot / shows / **deterministic** behaviors.

M(형용사) ⤳ S(명사)　　M(형용사) ⤳ O(명사)

모든 마을 사람들이 / 접했다 / 그 소식을

035
고1 3월
응용

The **whole** village / got / the news.

M(형용사) ⤳ S(명사)

→ 형용사 수식어가 주어로 쓰인 명사를 수식하고 있다.

물은 / ~이다 / 궁극적인 공유 자원

036
고1 9월

Water / is / the **ultimate** commons.

M(형용사) ⤳ C(명사)

→ 형용사 수식어가 보어로 쓰인 명사를 수식하고 있다.

Vogel은 / 했다 / 빠른 결정을

037
고1 3월

Vogel / made / a **quick** decision.

M(형용사) ⤳ O(명사)

→ 형용사 수식어가 목적어로 쓰인 명사를 수식하고 있다.

연구자들은 / 만들었다 / 몇 가지 비상사태로 보이는 상황을

☆038
고1 3월
응용

The researchers / created / **several apparent** emergencies.

M(형용사)　M(형용사) ⤳　O(명사)

→ 명사 앞에 하나 이상의 형용사가 나란히 올 수 있다.

그는 / 키웠다 / 사진에 대한 그의 열정을

☆039
고1 9월
응용

He / developed / his passion ⟨**for photography**⟩.

O(명사)　↖ M(전치사구)

→ 전치사구가 형용사처럼 쓰여 목적어로 쓰인 명사를 수식하고 있다.

나이가 더 많은 아이들을 대상으로 한 연구는 / 시사한다 / 비슷한 결과를

040
고1 3월

Research ⟨**with older children**⟩ suggests / **similar** findings.

S(명사) ↖ M(전치사구)　　M(형용사) ⤳ O(명사)

→ 전치사구가 주어로 쓰인 명사를, 형용사 수식어가 목적어로 쓰인 명사를 수식하고 있다.

> • 부사는 동사나 보어로 쓰인 형용사, 또는 다른 수식어(형용사, 부사)나 문장 전체를 수식하고, '~하게'로 해석한다.

구문 노트 ✏️

그는 / 배웠다 / 매우 빨리

041 He / learned ⟨**pretty quickly**⟩.

고1 6월 응용   V   M(부사)⤻M(부사)

→ 부사 pretty가 또 다른 부사 quickly 를 수식하고, pretty quickly는 동사 를 수식하고 있다.

레오나르도 다빈치는 / 그렸다 / 그의 스케치를 / 혼자서

042 Leonardo Da Vinci / made / his sketches / **individually**.

고1 3월 응용   V   M(부사)

→ 부사 수식어가 동사를 수식하고 있다.

우리는 / 흔히 무시한다 / 작은 변화들을

043 We / **often** ignore / small changes.

고1 3월 응용   M(부사)⤻ V

그녀는 / 누워 있었다 / 아주 가만히

044 She / lay / **quite** still.

고1 9월 응용   M(부사)⤻C(형용사)

→ 부사 수식어가 보어로 쓰인 형용사 를 수식하고 있다.

불행하게도, / 그러한 광고들은 / ~이다 / 아주 전형적인

045 **Unfortunately**, [such advertisements / are / **quite** typical].

고1 6월 응용   M(부사)⤻문장 전체   M(부사)⤻C(형용사)

→ 두 개의 부사가 각각 문장 전체와 보 어로 쓰인 형용사를 수식하고 있다.

음악은 / 강력하게 호소한다 / 어린 아이들에게

☆**046** Music / appeals **powerfully** / **to young children**.

고1 6월   V ⤻M(부사)   M(전치사구: V 수식)

→ 전치사구가 부사처럼 쓰여 동사를 수식하고 있다.

갑자기 / 나는 / 느꼈다 / 쿡 찌르는 것을 / 겨드랑이 밑으로

047 **Suddenly** [I / felt / a prodding / **under the armpit**].

고1 3월 응용   M(부사)⤻문장 전체   M(전치사구: V 수식)

→ 문장 앞의 부사가 문장 전체를 수식 하고 있다.

놀랄 것도 없이, / 당신은 / 걸어간다 / 경기장에 / 그리고 떨어뜨린다 / 공을

048 **Not surprisingly**, [you / walk / **on the court** / and drop / the ball].

고1 6월   M(부사)⤻문장 전체   M(전치사구: V 수식)

- 1형식은 「주어(S)+동사(V)」의 형태로, 문장을 이루는 최소 단위이다.
- 주어 자리에는 명사, 대명사가 오며, '주어(S)가 동사(V)하다'로 해석한다.

		구문 노트 🖊

대표 문장 대망의 날이 / 왔다

049 **The big day** / **arrived**.
고1 6월 　　S　　　　　V

→ 주어와 동사로 구성된 1형식 문장
이다.

많은 시간이 / 흘렀다

050 **Much time** / **passed**.
고1 9월 　　S　　　　V

Fawn은 / 일어섰다

051 **Fawn** / **rose up**.
고1 6월
응용 　　S　　　V

- 수식어(M)가 덧붙어 문장이 길어질 수 있지만, 수식어는 문장의 의미를 풍부하게 할 뿐, 형식에는 영향을 주지 않는다.

그는 / 사망했다 / 1983년에

052 **He** / **died** / in 1983.
고1 6월 　S　　V　　　　M

→ 동사를 수식하는 전치사구가 함께
쓰였다.

그는 / 갔다 / 숲으로

053 **He** / **went** / to a forest.
고1 3월 　S　　V　　　　M

버팔로 떼가 / 나타났다 / 멀리서

054 **Buffalo** / **appeared** / in the distance.
고1 9월
응용 　　S　　　　V　　　　　M

그 노인은 / 대답했다 / 심오한 세 단어로

055 **The old man** / **answered** / in three profound words.
고1 6월
응용 　　　S　　　　　V　　　　　　M

Mary Cassatt은 / 여행했다 / 유럽 전역을 / 그녀의 유년 시절에

☆ **056** **Mary Cassatt** / **traveled** / throughout Europe / in her childhood.
고1 9월
응용 　　　S　　　　V　　　　　M　　　　　　　M

→ 두 개의 전치사구가 연달아 동사
travel을 수식하고 있다.

구문 노트 ✏️

그녀 나이 또래의 백인 소녀 두 명이 / 앉아 있었다 / 많은 인형들 사이에

057 **Two white girls** ⟨about her age⟩ **sat** / among a lot of dolls.

고1 3월   S   V   M

→ 명사 girls가 형용사와 전치사구의 수식을 받아 주어가 길어졌다.

신비로운 어떤 일이 / 일어났다 / 호기심이 많은 그의 마음속에서

058 **Something mysterious** / **happened** / in his curious mind.

고1 6월 응용   S   V   M

→ 대명사 something이 형용사의 수식을 받고 있다.

전 세계의 스마트폰 평균 가격은 / 하락했다 / 2010년부터 2015년까지

☆**059** **The global smartphone average price** / **decreased** / from 2010 to 2015.

고1 6월 응용   S   V   M

→ smartphone average price는 두 개 이상의 명사가 모여 이루어진 복합명사이다.

• 「There+be동사+주어(+수식어구)」는 주어가 be동사 뒤에 위치하지만, '~이 (…에) 있다'라는 의미의 1형식 문장이다.

~이 있다 / 50달러의 추가 비용

060 There **is** / an additional $50 fee.

고1 9월 응용   V   S

→ There는 따로 해석하지 않는다.
→ be동사의 수는 뒤에 오는 주어의 수에 일치시킨다.

~이 있다 / 중요한 차이점 / 그들 사이에

061 There **is** / a significant difference / between them.

고1 6월 응용   V   S   M

→ 주어 뒤에 수식어구가 함께 쓰였다.

~이 있다 / 많은 별들 / 우주에

062 There **are** / many stars / in the universe.

고1 3월 응용   V   S   M

- 「주어(S)+동사(V)」에 주어(S)를 보충 설명하는 보어(C)가 추가된 형태이다.
- 보어 자리에 명사, 대명사 또는 「명사+수식어」 형태의 명사구가 오면, '주어(S)는 보어(C)이다'로 해석한다. (S=C)

	구문 노트 ✏

대표 문장 그것은 / ~이다 / 묶음 판매 상품

063 It / is / **a package deal**.
고1 3월   S   V   C(명사)
└─ (=) ─┘

→ 주어의 상태를 나타내는 be동사 뒤에 명사 보어가 쓰였다.

Nauru는 / ~이다 / 섬나라 / 남서 태평양에 있는

064 Nauru / is / **an island country** / in the southwestern Pacific Ocean.
고1 6월   S   V   C(명사)   M

→ 보어 뒤에 동사를 수식하는 전치사구가 함께 쓰였다.

우리의 부모와 가족은 / ~이 있다 / 강력한 영향력 / 우리에게

065 Our parents and families / are / **powerful influences** / on us.
고1 6월   S   V   C(명사구)   M
응용

→ 「형용사+명사」 형태의 명사구가 보어로 쓰였다.

그는 / ~이었다 / 챔피언

066 He / was / **the champion**.
고1 9월   S   V   C(명사)

그것은 / ~이었다 / 큰 돌고래의 눈

067 It / was / **the eye ⟨of a big dolphin⟩**.
고1 3월   S   V   C(명사구)

→ 「명사+전치사구」 형태의 명사구가 보어로 쓰였다.

이모티콘은 / ~이었다 / 확실한 장점 / 비언어적 의사소통에서

068 Emoticons / were / **a definite advantage** / in non-verbal communication.
고1 6월   S   V   C(명사구)   M
응용

그것은 / ~이 된다 / 예상한 일

069 It / becomes / **an expectation**.
고1 3월   S   V   C(명사)
응용

→ 동사 become은 변화가 생겨 '보어' 상태로 변한 것을 의미한다.

1930년에, / 그녀는 / ~이 되었다 / 최초의 여성 비행기 승무원 / 미국에서

070 In 1930, / she / became / **the first female flight attendant** / in the U.S.
고1 3월   M   S   V   C(명사구)   M
응용

• 보어 자리에 형용사나 「형용사+수식어」 형태의 형용사구가 오면, '주어(S)는 보어(C)하다'로 해석한다. (주어의 성질·상태＝보어)

	구문 노트 ✏️

나이테는 / ~해진다 / 폭이 더 넓은 / 온화하고 습한 해에

071 Tree rings / grow / **wider** / in warm, wet years.

고1 6월 응용   S   V   C(형용사)   M

→ 동사 grow, turn은 변화를 나타내고 형용사 보어와 함께 쓴다.

배터리 표시등이 / 변한다 / 파란색으로

072 The battery indicator light / turns / **blue.**

고1 9월 응용   S   V   C(형용사)

운동은 / ~이다 / 예방에 좋은

073 Exercise / is / **great ⟨for prevention⟩.**

고1 9월 응용   S   V   C(형용사구)

→ 「형용사+전치사구」 형태의 형용사 구가 보어로 쓰였다.

식물과 동물은 / ~이다 / 신화의 중심에 있는

074 Plants and animals / are / **central ⟨to mythology⟩.**

고1 3월 응용   S   V   C(형용사구)

한때, / 강들은 / ~인 것 같았다 / 끝이 없는

075 Once, / watercourses / seemed / **boundless.**

고1 9월 응용   M   S   V   C(형용사)

→ 동사 seem, appear는 인식을 나타 낸다.

그것은 / ~인 것 같다 / 어색하고 상황에 맞지 않는

076 It / appears / **awkward and out of place.**

고1 6월 응용   S   V   C(형용사구)

→ 형용사 보어 두 개가 and로 연결되 었다.

나는 / 느꼈다 / 외롭고, 고향을 몹시 그리워한다고

077 I / felt / **alone and homesick.**

고1 6월   S   V   C(형용사구)

→ 동사 feel은 감각을 나타낸다.

- 「주어(S)+동사(V)」에 동작의 대상인 목적어(O)가 추가된 형태이다.
- 목적어 자리에는 명사(구), 대명사가 올 수 있고, '주어(S)가 목적어(O)를 동사(V)하다'로 해석한다.
- 3형식 문장에서 목적어는 주어와 다른 대상(S≠O)이고, 동일한 대상(S=O)일 때는 재귀대명사가 온다.

구문 노트 ✎

대표 문장 그는 / 열었다 / 자신의 스튜디오를 / 1916년에

078 He / opened / **his own studio** / in 1916.

고1 6월   S   V   O   M

(≠)

→ 동사 뒤에 명사가 목적어로 쓰였다.

영국에서는 / 많은 사람들이 / 싫어한다 / 설치류를

079 In Britain / many people / dislike / **rodents**.

고1 3월   M   S   V   O
응용

우리는 / 운영하고 있다 / 책을 판매하는 온라인 상점을

080 We / have / **an online shop** ⟨for books⟩.

고1 6월   S   V   O
응용

→ 목적어가 전치사구의 수식을 받아
길어졌다.

청중의 피드백은 / 도와준다 / 연사를 / 여러모로

081 Audience feedback / assists / **the speaker** / in many ways.

고1 3월   S   V   O   M
응용

경쟁적인 환경에서, / 소년들은 / 그었다 / 뚜렷한 그룹 경계를

082 Under competitive conditions, / the boys / drew / **sharp group boundaries**.

고1 3월   M   S   V   O
응용

- 둘 이상의 단어가 동사구를 이루어 목적어를 수반하기도 한다.

그는 / 보냈다 / 두 통의 훈훈한 편지를 / 그 소년들에게

083 He / sent off / **two warm letters** / to the boys.

고1 3월   S   V   O   M
응용

→ 동사구 *sent off* 뒤에 명사가 목적
어로 쓰였다.

그녀는 / 집어 들었다 / 냄비 뚜껑을

084 She / picked up / **the pot's lid**.

고1 3월   S   V   O
응용

구문 노트 ✎

제자들은 / 보았다 / 그들의 스승을

085 The students / looked at / **their teacher.**
고1 9월
응용
　　　　　　S　　　　　　V　　　　　　O

우리는 / 찾는다 / 균형과 조화를 / 우리의 삶 속에서

086 We / look for / **balance and harmony** / in our lives.
고1 9월
응용
　　　S　　　V　　　　　　　O　　　　　　　　M

그는 / 생각해냈다 / 멋진 생각을

087 He / came up with / **a bright idea.**
고1 6월
응용
　　S　　　　　V　　　　　　O

> • 동사에 따라 목적어가 '~와/에(게)/에 관해'로 해석되는 경우도 있는데, 목적어 앞에 전치사가 필요한 것으로 착각하지 않아야 한다.

인도의 스마트폰 평균 가격은 / 도달했다 / 최고점에 / 2011년에

088 The smartphone average price ⟨in India⟩ **reached** / its peak / in 2011.
고1 6월
　　　　　　　　　　　S　　　　　　　　　　　V　　　O　　　M

→ 동사 reach는 목적어가 '~에'로 해석된다. (reach at(×))

뒤차에서 내린 그 남자가 / 다가왔다 / 우리에게

089 The man ⟨from the car behind⟩ **approached** / us.
고1 6월
응용
　　　　　　　S　　　　　　　　　　V　　　O

→ 동사 approach는 목적어가 '~에게'로 해석된다. (approach to(×))

가장 커다란 암컷 chuckwalla들은 / 닮았다 / 수컷과

090 The largest female chuckwallas / **resemble** / males.
고1 3월
응용
　　　　　　　S　　　　　　　　V　　　O

→ 동사 resemble은 목적어가 '~와'로 해석된다. (resemble with(×))

- 「주어(S)+동사(V)+목적어(O)」에서 동사(V)와 목적어(O) 사이에 또 다른 목적어(O)가 추가된 형태이다.
- 두 목적어는 다른 대상을 나타내며, 각각 간접목적어(IO)와 직접목적어(DO)로 구별한다. (IO ≠ DO)
- 보통 간접목적어는 사람, 직접목적어는 사물이며, '주어(S)가 간접목적어(IO)에게 직접목적어(DO)를 동사(V)하다'로 해석한다.

대표 문장	그는 / 건네주었다 / 나에게 / 그의 핸드폰을	구문 노트 🖊

091　He / handed / me / his cell phone.
고1 9월　S　　V　　　IO　　　DO
└── (≠) ──┘

→ 대명사가 간접목적어로, 명사가 직접목적어로 쓰였다.

나는 / 보여주었다 / 그에게 / 전화기를

092　I / showed / him / the phone.
고1 3월 응용　S　　V　　　IO　　　DO

그는 / 주었다 / 그의 아들에게 / 망치 하나와 못들이 든 가방 하나를

093　He / gave / his son / a hammer and a bag of nails.
고1 9월 응용　S　　V　　　IO　　　　　　DO

→ 직접목적어 자리에 명사 두 개가 and로 연결되어 있다.

나무는 / 제공해 준다 / 과학자들에게 / 그 지역 기후에 대한 약간의 정보를

094　Trees / give / scientists / some information ⟨about that area's local climate⟩.
고1 6월 응용　S　　V　　　IO　　　　　　　DO

→ 명사가 전치사구의 수식을 받아 직접목적어가 길어졌다.

1969년에, / 그 전시회는 / 받게 하였다 / 그에게 / 국제적인 인정을

095　In 1969, / the exhibition / brought / him / international recognition.
고1 6월 응용　M　　　S　　　　V　　　IO　　　DO

→ 문장 앞에 수식어가 함께 쓰였다.

2년 반 후, / 그는 / 물어보았다 / 그들에게 / 같은 문제를

096　Two and a half years later, / he / asked / them / the same question.
고1 9월　　　M　　　　　　　S　　V　　　IO　　DO

UNIT 2 / 5 5형식 – 주어+동사+목적어+보어

- 「주어(S)+동사(V)+목적어(O)」에 목적어(O)를 보충 설명하는 보어(C)가 추가된 형태이다.
- 보어 자리에 명사, 대명사가 오면, '주어(S)가 목적어(O)를 보어(C)라고 동사(V)하다'로 해석한다.
- 5형식 문장에서 동사 뒤의 명사 두 개는 동일한 대상(O=C)이고, 4형식 문장에서는 다른 대상(IO≠DO)이다.

대표 문장	내 친구들은 / 부른다 / 나를 / Mina라고	구문 노트 ✏

097 My friends / call / **me** / **Mina**.

고1 6월 　　S　　　　V　　　O　　C(명사)
　　　　　　　　　　　　　　└(=)┘

→ 목적어 뒤에 명사가 보어로 쓰였다.

곧, / 각 그룹은 / 여겼다 / 서로를 / 적으로

098 Soon, / each group / considered / **the other** / **an enemy**.

고1 3월　　M　　　S　　　　V　　　　　O　　　　C(명사)

→ the other는 둘 중 다른 하나를 나타내는 명사이다.

- 보어 자리에 형용사가 오면, '주어(S)가 목적어(O)를 보어(C)하도록/하게 동사(V)하다'로 해석한다. (목적어의 성질·상태＝보어)

그녀의 책들 중 어느 것도 / 두지 않는다 / 독자를 / 무관심하도록

099 None of her books / leaves / **the reader** / **unconcerned**.

고1 6월　　　　S　　　　　　V　　　O　　　　C(형용사)

→ 목적어 뒤에 형용사가 보어로 쓰였다.

→ None은 전체 부정을 나타낸다.

줄무늬는 / 유지시켜 주지 않는다 / 얼룩말들을 / 시원하게

100 Stripes / don't keep / **zebras** / **cool**.

고1 6월
응용　　S　　　　V　　　O　　C(형용사)

- can은 '~일 수 있다(가능성 · 추측), ~할 수 있다(능력 · 가능), ~해도 된다(허가)' 등으로 해석한다.
- can은 능력 · 가능을 나타낼 때 be able to로, 허가를 나타낼 때 may로 바꿔 쓸 수 있다.
- can의 부정형은 cannot[can't]이고, '~일 리가 없다(강한 추측)'의 의미로도 쓰인다.
- could는 can의 과거형으로도 쓰이고, can보다 정중한 부탁 또는 추측의 의미로도 쓰인다.

대표 문장	그 여정은 / 걸릴 수 있다 / 수천 년이	구문 노트 ✏️
101 고1 3월 응용	That trip / **can take** / thousands of years. V(조동사+동사원형)	→ 가능성 · 추측을 나타내는 can이다.

	사실, / 친숙함은 / 종종 이어질 수 있다 / 오류로 / 선다형 시험에서	
102 고1 6월 응용	In fact, / familiarity / **can often lead** / to errors / on multiple-choice exams. V(조동사+동사원형)	

	우리는 / 할 수 있다 / 과학을 / 그리고 그것으로 / 우리는 향상시킬 수 있다 / 우리의 삶을	
103 고1 6월	We / **can do** / science, / and with it / we / **can improve** / our lives. V₁(조동사+동사원형)　　　　　　　　　　　V₂(조동사+동사원형)	→ 능력 · 가능을 나타내는 can이다.

	현재, / 우리는 / 보낼 수 없다 / 인간을 / 다른 행성으로	
104 고1 6월	Currently, / we / **cannot send** / humans / to other planets. V(조동사(부정)+동사원형)	→ cannot[can't]은 can의 부정형 이다.

	아기들은 / 심지어 앉아 있을 수조차 없다 / 혼자	
105 고1 6월 응용	Babies / **can't even sit up** / on their own. V(조동사(부정)+동사원형)	

	아무도 / 읽지 못했다 / 그것을	
☆**106** 고1 3월 응용	No one / **could read** / it. V(조동사(과거)+동사원형)	→ no one은 '아무도 ~않다'라는 전체 부정을 나타낸다. → could는 can의 과거형이다.

	Shaun은 / 찾을 수가 없었다 / 할 말을	
107 고1 3월	Shaun / **could not find** / the words. V(조동사(과거 · 부정)+동사원형)	

	Plumb은 / 잠을 이룰 수 없었다 / 그날 밤	
108 고1 9월 응용	Plumb / **couldn't sleep** / that night. V(조동사(과거 · 부정)+동사원형)	→ couldn't는 could not의 축약형이다.

- may는 '~일지도[할지도] 모른다(약한 추측), ~해도 된다(허가)' 등으로 해석한다.
- may의 부정형은 may not이다.
- might는 may의 과거형으로도 쓰이고, may보다 약한 추측의 의미로도 쓰인다.

	구문 노트 ✏️

대표 문장　덤으로, / 당신은 / 배울지도 모른다 / 무엇인가를

109 As an added bonus, / you / **might** learn / something!

고1 3월　　　　　　　　　　　　V(조동사+동사원형)

→ 약한 추측을 나타내는 might이다.

그것은 / 상할지도 모른다 / 더운 날씨에

110 It / **might** spoil / in the hot weather.

고1 9월
응용　　V(조동사+동사원형)

이것은 / 야기할지도 모른다 / 화학 물질의 분비를 / 체내에

111 This / **may** cause / a release of chemicals / in the body.

고1 6월
응용　　　V(조동사+동사원형)

누군가는 / 벌지도 모른다 / 추가적인 돈을 / 새 스마트폰을 위해

112 Someone / **may** earn / extra money / for a new smartphone.

고1 9월
응용　　　V(조동사+동사원형)

→ 약한 추측을 나타내는 may이다.

패스트 패션 상품은 / 들게 하지 않을지도 모른다 / 당신에게 / 많은 비용을 / 계산대에서

☆**113** Fast fashion items / **may not** cost / you / much / at the cash register.

고1 9월
응용　　　　V(조동사(부정)+동사원형)

→ may not은 may의 부정형이다.

- must는 '~해야 한다(의무), ~임에 틀림없다(강한 추측)'로 해석한다.
- 강한 의무를 나타낼 때, must는 have[has] to로 바꿔 쓸 수 있다.
- must의 부정형 must not은 '~해서는 안 된다(강한 금지)'로 해석하는 반면, have[has] to의 부정형 don't[doesn't] have to는 '~할 필요가 없다(불필요)'로 해석한다.

대표 문장	구문 노트 ✏️
도서관은 / 제공해야 한다 / 조용함을 / 공부와 독서를 위해	
114 Libraries / **must** provide / quietness / for study and reading.	→ 의무를 나타내는 must이다.
고1 6월 응용 V(조동사+동사원형)	
학생들은 / 등록해야 한다 / 우리 프로그램에 / 미리 / 우리 웹사이트를 통해	
115 Students / **must** sign up / for our program / in advance / through our website.	
고1 6월 응용 V(조동사+동사원형)	
당신은 / ~임에 틀림없다 / 천사	
☆**116** You / **must be** / an angel!	→ 강한 추측을 나타내는 must이다.
고1 6월 응용 V(조동사+동사원형)	
당신은 / 연습해야만 한다 / 스스로	
117 You / **have to** train / yourself.	→ have to[must]는 의무를 나타낸다.
고1 6월 응용 V(조동사+동사원형)	
친구들은 / ~할 필요는 없다 / 꼭 비슷한	
118 Friends / **don't have to** be / exactly alike.	→ don't[doesn't] have to는 불필요
고1 3월 응용 V(조동사(부정)+동사원형)	를 나타낸다.
의류가 / ~할 필요는 없다 / 비싼	
119 Clothing / **doesn't have to** be / expensive.	
고1 3월 응용 V(조동사(부정)+동사원형)	
Isaac Newton 경은 / 만들어 내야 했다 / 새로운 수학 분야를	
☆**120** Sir Isaac Newton / **had to** invent / a new branch of mathematics.	→ had to는 must, have[has] to의
고1 3월 응용 V(조동사(과거)+동사원형)	과거형이다.

- should는 '~해야 한다(의무), ~하는 것이 좋다(제안·충고)'로 해석한다.
- 의무를 나타낼 때, should는 must보다 약한 의미이고, ought to로 바꿔 쓸 수 있다.
- should의 부정형 should not[shouldn't]은 '~해서는 안 된다(금지)'로 해석한다.

		구문 노트 ✏
대표 문장 참가자들은 / 준비해야 한다 / 그들의 요리를 / 미리		
121 Participants / **should** prepare / their dishes / beforehand.		→ 의무를 나타내는 should이다.
고1 3월 응용 V(조동사+동사원형)		
우리는 / 적극적으로 장려해야 한다 / 아이들의 언어 놀이를		
122 We / **should** strongly encourage / children's language play.		→ 부사 strongly는 동사 encourage를
고1 6월 응용 V(조동사+동사원형)		수식한다.
당신의 셀카 사진은 / 포함해야 한다 / 과학박물관 방문을 / 또는 집에서 하는 과학 활동을		
123 Your selfie / **should** include / a visit to any science museum / or a science		
고1 3월 V(조동사+동사원형)		
activity at home.		
투자가로서, / 우리는 / 집중해서는 안 된다 / 단기 손실에		
124 As investors, / we / **should not** focus / on short-term losses.		→ should not은 should의 부정형이고,
고1 6월 응용 V(조동사(부정)+동사원형)		금지를 나타낸다.
당신은 / 해서는 안 된다 / 그러한 추측을 / 즉시		
☆**125** You / **should never** make / such assumptions / right away.		→ never는 not보다 부정의 의미를 강
고1 9월 응용 V(조동사(부정)+동사원형)		조한다.

- be동사는 주어의 상태나 특징을 나타내고, 주어와 시제에 따라 형태가 달라진다.
- be동사의 현재형은 주어에 따라 am/is/are를 쓰고, '~이다/~하다'로 해석한다.
- 부정문은 「주어+be동사+not ~」, 의문문은 「Be동사+주어 ~?」로 나타낸다.

대표 문장	구문 노트 ✎
세상은 / ~이다 / 신비하고 흥미로운 장소	
126 The world / **is** / a mysterious and fascinating place.	→ 3인칭 단수 주어 뒤에 be동사 is가
고1 9월 응용　　　V(현재)	쓰였다.
삶에서, / 어떤 것이든 과도하면 / ~하지 않다 / 당신에게 좋은	
127 In life, / too much of anything / **is not** / good for you.	→ '많음'을 의미하는 대명사 much는
고1 3월 응용　　　　　　V(현재·부정)	단수 취급한다.
우리는 / ~이다 / 인류의 구성원들	
128 We / **are** / members of the human race.	→ 1인칭 복수 주어 we 뒤에 be동사
고1 6월 응용　　　V(현재)	are가 쓰였다.
색의 역할이 / 항상 ~것은 아니다 / 명확한	
☆**129** The colors' roles / **aren't** always / obvious.	→ not always는 부분 부정을 나타내
고1 6월　　　　　　V(현재·부정)	고, '항상(모두) ~인 것은 아니다'
	로 해석한다.
~한가? / 정보의 출처들은 / 믿을 만한	
130 **Are** / the sources of information / reliable?	→ 「Be동사+주어 ~?」 형태의 의문문
고1 6월　V(현재)	이다.
나는 ~ 하지 않다 / 어느 것도 통제하고 있는	
131 I'm not / in control of anything.	
고1 9월 응용　V(현재·부정)	

- be동사의 과거형은 주어에 따라 was/were를 쓰고, '~이었다/~했다'로 해석한다.

나는 / ~이었다 / 선원 / Kitty Hawk호의	
132 I / **was** / a sailor / on the Kitty Hawk.	→ 1인칭 단수 주어 I 뒤에 be동사의
고1 9월 응용　V(과거)	과거형 was가 쓰였다.

배고픔이 / 아니었다 / 유일한 문제는 / 이 지역에서

133 Hunger / **wasn't** / the only problem / in this area.

고1 3월 응용   V(과거·부정)

구문 노트 ✏

→ 3인칭 단수 주어 뒤에 be동사의 과거형 was가 쓰였다.

공룡은 / ~이었다 / 오늘날 살아 있는 그 어떤 것과도 다른

☆**134** Dinosaurs / **were** / different from anything alive today.

고1 9월 응용   V(과거)

→ 3인칭 복수 주어 뒤에 be동사의 과거형 were가 쓰였다.

인체의 해부학적 구조를 그린 그의 스케치는 / ~이었다 / Marcantonio della Torre와의 공동 작업

135 His sketches of human anatomy / **were** / a collaboration with Marcantonio

고1 3월 응용   V(과거)

della Torre.

→ His sketches가 전치사구의 수식을 받는 3인칭 복수 주어이므로 복수동사 were를 써야 한다.

- be동사의 미래형은 주어와 상관없이 will be로 쓰고, '~일 것이다/~할 것이다'로 해석한다.
- 부정문은 will not[won't] be, 의문문은 「Will+주어+be동사 ~?」로 나타낸다.

대표 문장   그 산책길은 / ~일 것이다 / 더 흥미로운

136 The walk / **will be** / more interesting.

고1 3월 응용   V(미래)

→ 조동사 will은 미래를 나타낸다.

개업 행사는 / ~일 것이다 / 오전 9시부터 오후 9시까지

137 The opening celebration / **will be** / from 9 a.m. to 9 p.m.

고1 3월 응용   V(미래)

그 울타리는 / 결코 ~하지 않을 것이다 / 전과 같은

138 The fence / **will never be** / the same.

고1 9월   V(미래·부정)

→ 부정문 will not be에서 not은 never로 바꿔 쓸 수 있다.

→ 형용사 same은 앞에 the를 붙여서 쓴다.

- 일반동사는 주어의 동작이나 상태를 나타내고, 주어와 시제에 따라 형태가 달라진다.
- 부정문은 「주어+do[does]/did+not+동사원형 ~」, 의문문은 「Do[Does]/Did+주어+동사원형 ~?」으로 나타낸다.
- 일반동사의 현재형은 주어가 3인칭 단수일 때 「동사원형+(e)s」로, 나머지는 모두 동사원형으로 나타낸다.

		구문 노트 ✏️
대표 문장	뇌는 / 사용한다 / 우리의 에너지의 20 퍼센트를	
139 고1 6월 응용	The brain / **uses** / 20 percent of our energy. ∨(현재)	→ 3인칭 단수 주어 뒤에 일반동사의 현재형인 「동사원형+(e)s」가 쓰였다.
	원작에서는 / 그 성자가 / 만난다 / 늪에 사는 개구리 한 마리를	
140 고1 3월 응용	In the original, / the saint / **meets** / a frog in a marsh. ∨(현재)	
	우리의 무리 행동은 / 결정한다 / 우리의 의사 결정을	
141 고1 6월 응용	Our herd behavior / **determines** / our decision-making. ∨(현재)	
	그 토스터는 / 가지고 있다 / 1년의 품질 보증 기간을	
☆**142** 고1 3월 응용	The toaster / **has** / a year's warranty. ∨(현재)	→ has는 have의 3인칭 단수형이다.
	흰올빼미의 얼굴에 있는 털들은 / 인도한다 / 소리들을 / 그것(흰올빼미)의 귀들로	
143 고1 9월 응용	The feathers on a snowy owl's face / **guide** / sounds / to its ears. ∨(현재)	→ 주어는 전치사구가 수식하는 복수 명사 The feathers이다.
	매일 / 당신은 / 의존한다 / 많은 사람들에게	
144 고1 9월 응용	Every day, / you / **rely on** / many people. ∨(현재)	
	Amondawa 부족은 / 가지고 있지 않다 / 시간의 개념을	
☆**145** 고1 3월 응용	The Amondawa tribe / **does not have** / a concept of time. ∨(현재·부정)	→ 집합명사 tribe: 사람·동물의 집단 전체를 하나로 취급하여 단수명사로 간주한다.
	일반적으로, / 아시아인들은 / 관심을 보이지 않는다 / 낯선 사람들에게	
146 고1 3월	In general, / Asians / **do not reach** out / to strangers. ∨(현재·부정)	

• 일반동사의 과거형은 「동사원형+(e)d」 또는 불규칙 과거형으로 나타낸다.

		구문 노트 ✏️
대표 문장 Mary는 / 들어갔다 / 장난감 집으로		
147 Mary / **went** / into the playhouse.		→ went는 일반동사 go의 불규칙 과거
고1 3월 응용 V(과거)		형이다.

나는 / 배웠다 / 큰 교훈을 / 오늘		
148 I / **learned** / a big lesson / today.		
고1 3월 응용 V(과거)		

그는 / 사용했다 / 형편없는 건축자재들을 / 그리고 쏟지 않았다 / 많은 노력을 / 그의 마지막 작업에		
☆**149** He / **used** / poor materials / and **didn't put** / much effort / into his last work.		→ didn't는 did not의 축약형이다.
고1 6월 응용 V₁(과거) V₂(과거·부정)		

• 일반동사의 미래형은 「will+동사원형」으로 나타낸다.
• 부정문은 「will not[won't]+동사원형」, 의문문은 「Will+주어+동사원형 ~?」으로 나타낸다.

당신의 Winston Magazine 구독 기간이 / 만료될 것이다 / 곧		
150 Your subscription to *Winston Magazine* / **will end** / soon.		
고1 6월 응용 V(미래)		

모든 참가자는 / 받을 것이다 / 참가 증명서를		
151 Every participant / **will receive** / a certificate for entry!		
고1 3월 V(미래)		

그 프로그램들은 / 진행될 것이다 / 기상 조건에 상관없이		
152 The programs / **will run** / regardless of weather conditions.		
고1 6월 V(미래)		

- 진행형은 특정 시점에 진행 중인 일을 나타낸다.
- 현재진행형은 「am/is/are+v-ing」의 형태로 쓰고 '(현재) ~하고 있다'로 해석한다.

		구문 노트 ✏
대표 문장 더 많은 나라들이 / 인정하고 있다 / 자연의 권리를		→ 현재진행형은 '~하고 있다'로 해석
153 More countries / **are acknowledging** / nature's rights.		한다.
고1 9월 응용 　　　　　　V (현재진행)		
나는 / 이 글을 쓰고 있다 / 당신에게 / Ashley Hale을 위해		→ 주어가 I이므로 「am+v-ing」의 현재
154 I / **am writing** / to you / on behalf of Ashley Hale.		진행형이 쓰였다.
고1 6월 　　V (현재진행)		
한 고등학교는 / 실험하고 있다 / 역사 자료에 대한 연구를		→ 주어가 3인칭 단수이므로
155 A high school / **is experimenting** / with a study of historical material.		「is+v-ing」의 현재진행형이 쓰였다.
고1 3월 응용 　　　　　　V (현재진행)		
광고 교환은 / 얻고 있다 / 인기를		→ 주어가 복수이므로 「are+v-ing」의
156 Advertising exchanges / **are gaining** / in popularity.		현재진행형이 쓰였다.
고1 3월 응용 　　　　V (현재진행)		
우리는 / 현재 받고 있다 / 가이드가 안내하는 투어의 예약을		→ be동사와 현재분사 사이에 진행형을
157 We / **are** currently **accepting** / bookings for guided tours.		수식하는 부사가 올 수 있다.
고1 6월 　　　　　V (현재진행)		
당신은 깨우치고 있다 / 당신 자신을 / 영적인 차원에서		→ 목적어로 재귀대명사가 쓰였다.
158 You'**re awakening** / yourself / on a spiritual level.		
고1 3월 응용 　　V (현재진행)		

• 과거진행형은 「was/were+v-ing」의 형태로 쓰고 '(과거에) ~하고 있었다'로 해석한다.

	구문 노트 ✏
나는 / 잠수하고 있었다 / 혼자 / 약 40피트 정도의 물속에서	→ 과거진행형은 '~하고 있었다'로 해
159 I / **was diving** / alone / in about 40 feet of water.	석한다.
고1 3월 응용 V(과거진행)	

한 노인이 / 다가오고 있었다 / 그를 향해서 / 주차장 건너편에서	
160 An old man / **was coming** / toward him / from across the parking lot.	
고1 6월 응용 V(과거진행)	

그 대회에 모인 청중들은 / 큰소리로 웃고 있었다 / 그의 무능함을 보며	
☆**161** The audience at the contest / <u>**were laughing** out loud</u> / at his inability.	→ 군집명사 audience: 대회에 모인 청
고1 3월 응용 V(과거진행)	중들 개개인에 초점을 두고 있으므
	로 형태는 단수이지만 복수 취급한다.

• 미래진행형은 「will be+v-ing」의 형태로 쓰고 '(미래에) ~하고 있을 것이다'로 해석한다.

다음 주부터, / 당신은 / 일하고 있을 것이다 / 마케팅부에서	
162 From next week, / you / **will be working** / in the Marketing Department.	→ 미래진행형은 '~하고 있을 것이다'
고1 3월 V(미래진행)	로 해석한다.

당신은 / 하고 있을 것이다 / 운동을	
163 You / **will be doing** / exercise.	
고1 3월 응용 V(미래진행)	

- 완료형은 특정 시점까지의 완료(이미[막] ~했다), 경험(~한 적이 있다), 계속(~해 왔다), 결과(~해 버렸다)를 나타낸다.
- 현재완료는 「have[has]+p.p.」 형태로 '과거'에 일어난 일이 '현재'까지 영향을 줄 때 쓴다.

		구문 노트 🖉
대표 문장 생존자들은 / 발전시켜 왔다 / 신속하게 인식하는 그들의 능력을		→ '계속'을 나타내는 현재완료는
164 Survivors / **have developed** / their skill of rapid cognition.		'~해 왔다'로 해석한다.
고1 3월 응용 V(현재완료)		
되풀이해서, / 사회는 / 연구해 왔다 / 수계(水系)를		
165 Time and again, / communities / **have studied** / water systems.		
고1 9월 응용 V(현재완료)		
뉴 밀레니엄 시대 이후, / 기업들은 / 경험해 왔다 / 더 많은 국제적 경쟁을		→ 「since+과거 시점」은 '계속'을 나타
166 Since the new millennium, / businesses / **have experienced** / more global		내는 현재완료와 함께 쓰인다.
고1 6월 응용 V(현재완료)		
competition.		
인류 역사의 시작부터, / 사람들은 / 물어 왔다 / 세상에 관한 질문들을		
167 From the beginning of human history, / people / **have asked** / questions		
고1 9월 응용 V(현재완료)		
about the world.		
중국은 / 가지고 있어 왔다 / 단 하나의 문자 체계를 / 처음부터		→ 주어가 3인칭 단수이므로
☆**168** China / **has had** / only a single writing system / from the beginning.		「has+p.p.」의 현재완료가 쓰였다.
고1 6월 응용 V(현재완료)		
인간은 / 항상 가졌던 것은 아니다 / 음식의 풍부함을		
169 Humans / **have not** always had / the abundance of food.		→ 현재완료의 부정형은 「have[has]+
고1 9월 응용 V(현재완료·부정)		not+p.p.」 형태로 쓴다.
당신의 마음은 / 아직 적응하지 못했다 / 이 비교적 새롭게 생겨난 것에		→ '완료'를 나타내는 현재완료가 쓰였다.
☆**170** Your mind / **has not** yet adapted / to this relatively new development.		not과 부사 yet이 함께 쓰여 '아직
고1 3월 V(현재완료·부정)		~하지 못했다'로 해석한다.

- 과거완료는 「had+p.p.」 형태로 '과거 이전'에 일어난 일이 '과거'까지 영향을 줄 때 쓴다.
- 과거에 일어난 두 가지 일 중 먼저 일어난 일(대과거)을 나타낼 때도 과거완료를 쓴다.

		구문 노트 ✎
	소년은 / 승리했다 / 그 토너먼트에서	
171 고1 9월 응용	The boy / **had won** / the tournament. 　　　　　　V (과거완료)	→ '완료(~했다)'를 나타내는 과거완료 이다.
	그의 아버지는 / 수감되어 있었다 / 감옥에	
172 고1 6월 응용	His father / **had been** / in jail. 　　　　　　V (과거완료)	→ '계속(~해 왔다)'을 나타내는 과거 완료이다.
	산업 일자리들이 / 천천히 고갈되었다 / 그리고 아무것도 / 대체하지 못했다 / 그것들을	
173 고1 6월 응용	Industrial jobs / **had** slowly **dried up**, / and nothing / **had replaced** / them. 　　　　　　　　　V₁ (과거완료)　　　　　　　　　　V₂ (과거완료)	
	그녀의 어머니는 / 한 적이 없었다 / 실수를 / 그녀의 어떠한 공연에서도	
☆**174** 고1 3월 응용	Her mother / **had never made** / a mistake / in any of her performances. 　　　　　　　V (과거완료·부정)	→ '경험'을 나타내는 과거완료는 부사 never와 함께 쓰여 '~한 적이 없었 다'로 해석한다.
	그는 / 방금 나왔다 / 세차장에서 / 그리고 기다리고 있었다 / 아내를	
175 고1 6월	He / **had** just **come** / from the car wash / and **was waiting** for / his wife. 　　　V₁ (과거완료)　　　　　　　　　　　V₂ (과거진행)	→ '완료'를 나타내는 과거완료는 부사 just와 함께 쓰여 '방금(막) ~했다' 로 해석한다.
	1906년 즈음에, / 그는 / 이사했다 / New York으로 / 그리고 여러 가지 일들을 하고 있었다	
☆**176** 고1 6월 응용	By 1906, / he / **had moved** / to New York / and **was taking** jobs. 　　　　　　　V₁ (과거완료)　　　　　　　　V₂ (과거진행)	→ 과거의 시간적 순서를 강조할 때도 과거완료를 쓴다.

- 수동태는 동작에 영향을 받는 대상이 주어로 표현되는 동사의 형태이다.
- 동작의 주체인 행위자는 문장 뒤에 「by+목적어(O)」형태로 쓰거나 생략된다.
- 수동태의 현재형은 「am/is/are+p.p.」의 형태로 쓰고 '(현재) ~되다/~받다'로 해석한다.

대표 문장	이러한 종류의 전기는 / 생성된다 / 마찰에 의해서	구문 노트 ✏️

177 This kind of electricity / **is produced** / by friction.
고1 9월 응용　　　S　　　　　　V(현재 수동태)　　　by+O

→ 「am/is/are+p.p.」의 현재 수동태이다.
→ 능동태 변환: Friction produces this kind of electricity.

Joshua tree는 / 보호된다 / 법에 의해

178 Joshua trees / **are protected** / by law.
고1 6월 응용　　　S　　　　V(현재 수동태)　　　by+O

→ 능동태 변환: Law protects Joshua trees.

뱀들은 / 존경을 받는다 / 몇몇 문화권에 의해서

179 Snakes / **are honored** / by some cultures.
고1 3월 응용　　S　　V(현재 수동태)　　　by+O

→ 능동태 변환: Some cultures honor snakes.

고전 동화에서 / 갈등은 / 흔히 영구적으로 해결된다

☆**180** In the classical fairy tale / the conflict / **is** often permanently **resolved**.
고1 3월　　　　　　　　　　　　　S　　　　　　V(현재 수동태)

→ be동사와 과거분사 사이에 수동태를 수식하는 부사가 올 수 있다.
→ 「by+O」가 생략되었다.

이 견해는 / 일반적으로 공유되지 않는다

181 This position / **is not** generally **shared**.
고1 3월 응용　　　S　　　　　V(현재 수동태·부정)

→ 수동태의 부정형은 「be+not+p.p.」이다.

- 수동태의 과거형은 「was/were+p.p.」의 형태로 쓰고 '(과거에) ~되었다/~받았다'로 해석한다.

Debbie는 / 인사를 받았다 / 승무원 모두로부터

182 Debbie / **was greeted** / by all of the flight attendants.
고1 3월 응용　　S　　V(과거 수동태)　　　by+O

→ 「was/were+p.p.」의 과거 수동태이다.
→ 능동태 변환: All of the flight attendants greeted Debbie.

그들은 / 공격을 받았다 / 야생동물로부터

183 They / **were attacked** / by a wild animal.
고1 6월 응용　　S　V(과거 수동태)　　　by+O

→ 능동태 변환: A wild animal attacked them.

구문 노트 🖊

184   모든 경우에, / 15개의 문제들이 / 해결되었다 / 정확하게
In all cases, / 15 of the problems / **were solved** / correctly.
고1 3월   S   V(과거 수동태)

→ 「by+O」가 생략되었다.

185   그의 희곡 중 다수가 / 개작되었다 / 최초의 창작 후에
Many of his plays / **were rewritten** / after their original composition.
고1 3월
응용   S   V(과거 수동태)

• 수동태의 미래형은 「will be+p.p.」의 형태로 쓰고 '(미래에) ~될 것이다/~받을 것이다'로 해석한다.

---

186   신발은 / 수거될 것이다 / 매 격주 화요일에
Shoes / **will be picked up** / on Tuesdays every two weeks.
고1 9월   S   V(미래 수동태)

→ 「will be+p.p.」의 미래 수동태이고,
뒤에 「by+O」가 생략되었다.

187   수상자는 / 발표될 것이다 / 2020년 3월 27일에
Winners / **will be announced** / on March 27, 2020.
고1 3월   S   V(미래 수동태)

188   여름휴가는 / 기억될 것이다 / 그것의 가장 흥미로운 부분이
A summer vacation / **will be recalled** / for its highlights.
고1 9월
응용   S   V(미래 수동태)

- 수동태도 진행형이나 완료형을 나타낼 수 있다.
- 현재진행 수동태는 「am/is/are+being+p.p.」의 형태로 쓰고 '~되고 있다'로 해석한다.
- 과거진행 수동태는 「was/were+being+p.p.」의 형태로 쓰고 '~되고 있었다'로 해석한다.

구문 노트 ✏

대표 문장 그것은 / 녹화되고 있었다

189 It / **was being taped**.

고1 3월
응용   V(과거진행 수동태)

→ 「was/were+being+p.p.」의 과거진행 수동태이다.

대표 문장 내 팔이 / 들어 올려지고 있었다 / 강제로

190 My arm / **was being lifted** / forcibly.

고1 3월   V(과거진행 수동태)

- 현재완료/과거완료 수동태는 「have[has]/had+been+p.p.」 형태로 쓰고, '~되었다, ~되어 왔다(완료, 경험, 계속, 결과)'로 해석한다.

대표 문장 중앙아메리카는 / 피해를 당했다 / 일련의 허리케인에 의해

191 Central America / **has been hit** / by a series of hurricanes.

고1 3월
응용   V(현재완료 수동태)   by+O

→ 「have[has]+been+p.p.」의 현재완료 수동태이다.

→ 능동태 변환: A series of hurricanes have hit Central America.

대표 문장 그녀의 소설 중 한 권은 / 번역되었다 / 80개 이상의 언어로

192 One of her novels / **has been translated** / into more than eighty languages.

고1 6월   V(현재완료 수동태)

→ 「one of+복수명사」는 단수 취급한다.

대표 문장 Virginia Smith가 / 임명되었다 / 우리 학교의 새 수영 코치로

☆**193** Virginia Smith / **has been named** / the school's new swimming coach.

고1 6월
응용   V(현재완료 수동태)

→ 5형식 문장의 현재완료 수동태는 「S+have[has]+been+p.p.+C」의 형태이다.

구문 노트 ✏

194
고1 6월
응용

공룡들의 뼈는 / 보존되어 왔다 / 화석으로

Dinosaurs' bones / **have been preserved** / as fossils.

V (현재완료 수동태)

195
고1 6월
응용

불행히도, / 많은 Joshua tree가 / 파헤쳐졌다

Unfortunately, / many Joshua trees / **have been dug up**.

V (현재완료 수동태)

196
고1 6월

그의 작품들은 / 널리 읽혀왔다 / 그리고 여전히 누린다 / 큰 인기를

His works / **have been** widely **read** / and still enjoy / great popularity.

V₁ (현재완료 수동태)   V₂ (현재)

197
고1 9월
응용

장애물이 / 놓여 있었다 / 그의 길에

The obstacles / **had been placed** / in his path.

V (과거완료 수동태)

→ 「had+been+p.p.」의 과거완료 수동태이다.

198
고1 9월
응용

그 물건은 / 옮겨져 있었다 / 두 번째 상자에

The object / **had been transferred** / to the second box.

V (과거완료 수동태)

☆199
고1 9월
응용

수감자들 중 75 퍼센트가 / 선고를 받았었다 / 유죄로

Seventy-five percent of prisoners / **had been declared** / guilty.

V (과거완료 수동태)

→ 5형식 문장의 과거완료 수동태는 「S+had+been+p.p.+C」의 형태이다.

- 특정 동사의 수동태 뒤에는 by 이외에 with, to, in, about, of, on 등의 다른 전치사가 온다.
  - be filled with: ~으로 가득 차다
  - be limited to: ~로 제한되다
  - be involved in: ~에 참여하다
  - be covered with: ~으로 덮여 있다
  - be related to: ~와 관계가 있다
  - be interested in: ~에 관심이 있다

대표 문장 인생은 / ~으로 가득 차 있다 / 많은 위험과 도전	**구문 노트** ✏️
200 Life / **is filled with** / a lot of risks and challenges.	→ 수동태 동사 뒤에 by 이외의 전치사
고1 3월 응용 V(수동태+전치사)	가 쓰였다.
당신의 개는 / ~로 뒤덮여 있다 / 쿠션 속 조각들	
201 Your dog / **is covered with** / pieces of the cushion's stuffing.	
고1 3월 응용 V(수동태+전치사)	
각 수업은 / ~으로 제한된다 / 10명	
202 Each class / **is limited to** / 10 kids.	
고1 6월 V(수동태+전치사)	
지속적으로 소음에 노출되는 것은 / ~와 관계가 있다 / 아이들의 학업 성취	
203 Constant exposure to noise / **is related to** / children's academic achievement.	
고1 3월 응용 V(수동태+전치사)	
다른 그룹의 학생들은 / ~에 참여한다 / 전통적인 조사 기법	
204 Another group of students / **is involved in** / traditional research techniques.	
고1 3월 응용 V(수동태+전치사)	
Füstenau는 / ~에 더 흥미가 있었다 / 플루트	
205 Füstenau / **was** more **interested in** / the flute.	
고1 3월 응용 V(수동태+전치사)	

| – be concerned about: ~을 걱정하다 | – be frightened of: ~을 무서워하다 |
| – be based on: ~에 근거하다 | |

그 소년의 부모는 / ~을 걱정했다 / 그의 못된 성질

206 The boy's parents / **were concerned about** / his bad temper.

고1 9월   V(수동태+전치사)

구문 노트 ✎

대부분의 사람이 / ~을 무서워한다 / 비행

207 Most people / **were frightened of** / flying.

고1 3월
응용   V(수동태+전치사)

그 증거는 / ~에 근거한다 / 소수의 표본에서 얻은 개인적 의견

208 The evidence / **is based on** / the personal opinions ⟨from a small sample⟩.

고1 6월
응용   V(수동태+전치사)

- 동명사(v-ing)는 문장의 주어 자리에 올 수 있고, '~하는 것은'으로 해석한다.
- 동명사(구) 주어는 단수 취급하여 단수 동사가 온다.

	구문 노트 ✏️

대표 문장   계획을 종이에 적는 것은 / 분명하게 해줄 것이다 / 여러분의 생각들을

209   **Putting your plan down on paper** / will clarify / your thoughts.

고1 3월 응용   S(동명사구)   V

→ 동명사구가 주어로 쓰였다.

새로운 제품 범주를 도입하는 것은 / ~이다 / 어려운

☆210   **Introducing a new product category** / is / difficult.

고1 6월 응용   S(동명사구)   V

→ 동명사구 주어는 단수 취급하므로, 단수 동사 is가 쓰였다.

이따금씩 약간의 쿠키를 가지고 오는 것은 / ~이다 / 충분한

211   **Bringing in some cookies once in a while** / is / enough.

고1 3월 응용   S(동명사구)   V

편안한 업무용 의자와 책상을 가지는 것이 / ~이다 / 가장 덜 인기 있는 선택

212   **Having a comfortable work chair and desk** / is / the least popular choice.

고1 9월 응용   S(동명사구)   V

계단을 오르는 것은 / 제공한다 / 좋은 운동을

☆213   **Climbing stairs** / provides / a good workout.

고1 3월 응용   S(동명사구)   V

→ 동명사구 주어는 단수 취급하므로 단수 동사 provides가 쓰였다.

신체적 따뜻함을 경험하는 것은 / 증진시킨다 / 대인 관계의 따뜻함을

214   **Experiencing physical warmth** / promotes / interpersonal warmth.

고1 6월 응용   S(동명사구)   V

관심이 다른 친구들을 갖는 것은 / 유지시킨다 / 삶을 / 흥미롭게

215   **Having friends with other interests** / keeps / life / interesting.

고1 3월 응용   S(동명사구)   V

역사를 공부하는 것은 / 만들어 줄 수 있다 / 여러분을 더 유식하게

216   **Studying history** / can make / you / more knowledgeable.

고1 9월 응용   S(동명사구)   V

- to부정사(to-v)는 문장의 주어 자리에 올 수 있고, '~하는 것은'으로 해석한다.
- to부정사(구) 주어는 단수 취급하여 단수 동사가 온다.

구문 노트 ✏

위험을 무릅쓰는 것은 / 의미한다 / 언젠가 당신이 성공할 것임을 / 그러나 위험을 전혀 무릅쓰지 않는 것은 /

217 **To take risks** / means [you will succeed sometime] but **never to take a risk** /

고1 3월   S₁(to부정사구)   V₁   S₂(to부정사구)

→ to부정사구가 주어로 쓰였다.

의미한다 / 당신이 결코 성공하지 못할 것임을

means [that you will never succeed].

       V₂

→ means의 목적어로 쓰인 명사절은

'~하는 것을'로 해석한다.

가치 있는 것을 만들어 내는 것은 / 필요로 할지도 모른다 / 여러 해 동안의 그런 결실 없는 노동을

218 **To produce something worthwhile** / may require / years of such fruitless

고1 3월   S(to부정사구)   V
응용

labor.

- to부정사구가 주어로 오면, 주로 가주어 It을 쓰고, 진주어 to부정사구는 문장 뒤로 보낸다.

× / ~않다 / 쉬운 / 수컷과 암컷 chuckwalla를 구별하는 것은

219 **It** / is not / easy / **to distinguish between male and female chuckwallas.**

고1 3월   S(가주어) └V   S'(진주어: to부정사구)
응용

→ It은 가주어, to부정사구가 진주어
이다.

× / ~이다 / 실수 / 당신의 자녀의 모든 성취에 대해 보상하는 것은

220 **It** / is / a mistake / **to reward all of your child's accomplishments.**

고1 9월   S(가주어) └V   S'(진주어: to부정사구)
응용

- 동명사는 문장의 목적어 자리에 올 수 있고, '~하는 것'으로 해석한다.
- 동사 avoid, enjoy, finish, keep, mind, quit, stop 등은 동명사를 목적어로 쓴다.

대표 문장		구문 노트 ✏
	신은 / 즐기고 있었다 / 그 개구리의 소리를 듣는 것을	→ enjoy는 동명사를 목적어로 쓰는
221	God / was enjoying / **listening to the sound of the frog**.	동사이다.
고1 3월 응용	S　　　　V　　　　　　　O(동명사구)	→ enjoying은 진행형을 만드는 현재분
		사이다.
	많은 사람들이 / 즐긴다 / 야생 버섯 종을 찾아다니는 것을 / 봄에	
222	Many people / enjoy / **hunting wild species of mushrooms** / in the spring	
고1 6월 응용	S　　　　V　　　　　　　O(동명사구)	
	season.	
	우리는 / 계속 ~한다 / 인터넷에서 답을 검색하는 것을	
223	We / keep / **searching for answers on the Internet**.	→ keep은 동명사를 목적어로 쓰는
고1 3월 응용	S　　V　　　　　　O(동명사구)	동사이다.
	그녀는 / 끝마쳤다 / '순수의 시대'를 집필하는 것을 / 그곳에서	
☆ **224**	She / finished / **writing *The Age of Innocence*** / there.	→ finish는 동명사를 목적어로 쓰는
고1 9월 응용	S　　　V　　　　　　O(동명사구)	동사이다.
	그는 / 멈출 수 없었다 / 커다란 슬픈 눈을 가진 그 어린 소년에 대한 생각을	
☆ **225**	He / couldn't stop / **thinking about the little boy with the big sad eyes**.	→ stop은 동명사를 목적어로 쓰는
고1 3월 응용	S　　V　　　　　　　O(동명사구)	동사이다.
	소비자로서 / 우리는 / 피해야 한다 / 광고의 주장을 너무 진지하게 받아들이는 것을	
226	As consumers / we / have to avoid / **taking advertising claims too seriously**.	→ avoid는 동명사를 목적어로 쓰는
고1 6월 응용	S　　　V　　　　　　O(동명사구)	동사이다.

- 동명사는 전치사의 목적어로도 쓰일 수 있다.

	우리는 / 기대하고 있다 / 훌륭한 작업을 보는 것을 / 당신으로부터	
227	We / are looking forward to / **seeing excellent work** / **from you**.	→ 동명사구가 전치사 to의 목적어로
고1 3월 응용	전치사의 목적어(동명사구)	쓰였다.
		→ look forward to+v-ing: ~할 것을
	우리 / 대가를 지불해야 한다 / 더 큰 보상을 성취하기 위해	기대하다
228	We / must pay the price / for **achieving the greater rewards**.	→ 동명사구가 전치사 for의 목적어로
고1 3월 응용	전치사의 목적어(동명사구)	쓰였다.

- to부정사는 문장의 목적어 자리에 올 수 있고, '~하는 것을'로 해석한다.
- 동사 agree, decide, expect, hope, need, refuse, want 등은 to부정사를 목적어로 쓴다.

		구문 노트 ✏
	여러분은 / 기대할 수 있다/ 신생아부터 십 대까지 어린이를 위한 장난감을 찾는 것을	
229 고1 3월	You / can expect / **to find toys for children from birth to teens.** S　　　V　　　　　　　　　O(to부정사구)	→ expect는 to부정사를 목적어로 쓰는 동사이다.
	Toby는 / 맹세했다 / 그 소년을 잊지 않기로	
☆**230** 고1 3월 응용	Toby / vowed / **not to forget the boy.** S　　　V　　　O(to부정사구)	→ vow는 to부정사를 목적어로 쓰는 동사이다. to부정사의 부정은 to 앞에 not[never]을 쓴다.
	우주선은 / 필요가 있을 것이다 / 충분한 공기, 물, 그리고 다른 물자를 운반할	
231 고1 6월 응용	A spacecraft / would need / **to carry enough air, water, and other supplies.** S　　　　　V　　　　　　　　O(to부정사구)	→ need는 to부정사를 목적어로 쓰는 동사이다.
	그 단체는 / 동의했다 / 그 티셔츠들을 수송할 것을 / 그들의 다음번 아프리카 방문에	
232 고1 3월	The organization / agreed / **to transport the T-shirts / on their next trip to** S　　　　　　V　　　　　　O(to부정사구) **Africa.**	→ agree는 to부정사를 목적어로 쓰는 동사이다.
	우리는 / 희망한다 / 학생들에게 몇 가지 실제적인 교육을 하기를 / 산업 절차와 관련해서	
233 고1 6월	We / hope / **to give some practical education to our students / in regard** S　　V　　　　　　　　　　O(to부정사구) **to industrial procedures.**	→ hope는 to부정사를 목적어로 쓰는 동사이다.
	그는 / 원했다 / 최후의 안식처에 마지막 축복을 주기를 / 그래서 그는 / 결심했다 / 인간을 창조하기로	
234 고1 3월 응용	He / wanted / **to give a last blessing to his final resting place, / so he** S₁　V₁　　　　　　　O₁(to부정사구)　　　　　　　　S₂ decided / **to create humans.** V₂　　　O₂(to부정사구)	→ want와 decide는 to부정사를 목적어로 쓰는 동사이다.

• 동사 like, hate, attempt, start, begin, continue 등은 동명사와 to부정사를 모두 목적어로 쓸 수 있고, 의미 차이가 없다.

구문 노트 ✏️

대표 문장 그 사람들은 / 싫어했다 / 캥거루 같은 꼬리가 있고 무릎이 없는 것을

235 The people / hated / **having kangaroo tails and no knees.**

고1 3월
응용 　　S　　　V　　　　　　O(동명사구)

→ hate는 동명사와 to부정사를 둘 다
목적어로 쓰는 동사이다.

사람들은 / 시작했다 / 박수를 치고 노래 부르기를

236 People / started / **clapping and singing.**

고1 6월 　　S　　V　　　　O(동명사구)

→ start는 동명사와 to부정사를 둘 다
목적어로 쓰는 동사이다.

나중에 / 여러분은 / 시작할 수 있다 / 다시 그들을 사랑하기를

237 Later, / you / can start / **to love them again.**

고1 3월
응용 　　　　S　　　V　　　O(to부정사구)

Kevin은 / 말했다 / "고맙습니다"라고 / 그리고 계속했다 / 자신의 차를 닦는 것을

☆**238** Kevin / said, / "Thanks," / and continued / **wiping off his car.**

고1 6월 　S　　V₁　　　　　　V₂　　　　O(동명사구)

→ continue는 동명사와 to부정사를
둘 다 목적어로 쓰는 동사이다.

당신은 계속할 것이다 / 월간지 'Winston Magazine'을 받는 것을

239 You'll continue / **to receive your monthly issue of _Winston Magazine_.**

고1 6월
응용 　S　　V　　　　　　　　O(to부정사구)

우리는 / 단순히 좋아하지 않는다 / 우리의 환경과 우리 자신들 간의 조화가 깨지는 것을

240 We / simply don't like / **being out of tune with our surroundings and**

고1 9월 　S　　　V　　　　　　　　O(동명사구)

ourselves.

→ like는 동명사와 to부정사를 둘 다
목적어로 쓰는 동사이다.

많은 젊은이들이 / 좋아한다 / 숙제를 찔끔하는 것과 즉각적으로 메시지를 주고받는 것을 함께 하는 것을

241 Most young people / like / **to combine a bit of homework with quite a lot**

고1 3월
응용 　　　　S　　　　V　　　　　　O(to부정사구)

of instant messaging.

각자 / 시도했다 / 캠핑하는 다른 사람들로부터 최대의 보상을 얻으려고 / 자신의 재능을 사용하는 대가로

242 Each person / attempted / **to gain the maximum rewards from the other**

고1 3월
응용 　　S　　　V　　　　　　　O(to부정사구)

campers / in exchange for the use of his or her talents.

→ attempt는 동명사와 to부정사를 둘
다 목적어로 쓰는 동사이다.

- 동사 forget, remember, regret, try 등은 무엇을 목적어로 쓰는지에 따라 의미가 달라진다.
  - forget+동명사: (과거에) ~했던 것을 잊다
  - forget+to부정사: (앞으로) ~할 것을 잊다
  - remember+동명사: (과거에) ~했던 것을 기억하다
  - remember+to부정사: (앞으로) ~할 것을 기억하다
  - regret+동명사: ~했던 것을 후회하다
  - regret+to부정사: ~하게 되어 유감이다
  - try+동명사: (시험 삼아) ~해 보다
  - try+to부정사: ~하려고 애쓰다[노력하다]

		구문 노트 ✏
	시험 삼아 해 보아라 / 물건을 만드는 데서 즐거움을 찾기를 / 물건을 사기보다는	
243 고1 9월 응용	Try / finding pleasure in creating things / rather than buying things. V　　　　　　　O(동명사구)	
	첫 번째 실험자는 / 시험 삼아 해 보았다 / 처음 상자에서 그 물건을 다시 꺼내는 것을	
244 고1 9월 응용	The first experimenter / tried / retrieving the object from the first box. S　　　　　　V　　　　O(동명사구)	→ 「try+동명사」는 '시험 삼아 ~해 보다'라는 의미이다.
	그는 / 노력했다 / 자신의 약속을 지키려고	
☆**245** 고1 3월 응용	He / tried / to keep his promise. S　V　　O(to부정사구)	→ 「try+to부정사」는 '~하려고 노력하다'라는 의미이다.
	그는 / 유감스럽게도 잊었었다 / 그 수표를 동봉하는 것을	
246 고1 3월 응용	He / had unfortunately forgotten / to include the check. S　　　　　　V　　　　　O(to부정사구)	→ 「forget+to부정사」는 '(앞으로) ~할 것을 잊어버리다'라는 의미이다.

UNIT 5 / 4 동사가 주격보어로 변신

- 동명사와 to부정사는 주어를 보충 설명하는 주격보어로 올 수 있다.
- 주로 be동사 다음에 오는 to부정사와 동명사는 주격보어이고, '~하는 것이다'로 해석한다.

대표 문장 그의 꿈은 / ~이었다 / 프로 야구 선수가 되는 것

247 His dream / was / **to be a professional baseball player**.

고1 3월
응용
S   V   C(to부정사구)

구문 노트 ✏️
→ to부정사구가 주어를 보충 설명하는 주격보어로 쓰였다.

그들의 임무는 / ~이었다 / 파이프를 조사하고 새는 곳을 고치는 것

248 Their job / was / **to look into the pipe and fix the leak**.

고1 3월
S   V   C(to부정사구)

가장 좋은 방법은 / ~이다 / 논증을 의견과 대조하는 것

249 The best way / is / **to contrast an argument with an opinion**.

고1 6월
응용
S   V   C(to부정사구)

교육자들의 도전 과제는 / ~이다 / 기본적인 기술에서의 개별 능력을 보장하는 것

250 The challenge for educators / is / **to ensure individual competence in basic**

고1 6월
응용
S   V   C(to부정사구)

skills.

- 동사 seem, appear 뒤에 오는 to부정사도 주격보어이다.

그것은 / ~인 것 같았다 / 웃고 있는

251 It / seemed / **to be smiling**.

고1 3월
S   V   C(to부정사구)

→ to부정사구가 주어의 상태를 보충 설명하는 주격보어로 쓰였다.

작은 변화들은 / ~인 것 같지 않다 / 크게 중요한 / 당장은

252 Small changes / don't seem / **to matter very much** / in the moment.

고1 3월
응용
S   V   C(to부정사구)

2000년에 / 스코틀랜드의 Glasgow시 정부는 / ~인 것 같았다 / 중요한 범죄 예방 전략을 우연히 발견한

253 In 2000, / the government in Glasgow, Scotland, / appeared / **to stumble**

고1 9월
S   V   C(to부정사구)

on a remarkable crime prevention strategy.

- 감정을 나타내는 동사 amaze, confuse, surprise, disappoint 등의 분사 형태는 형용사로 굳어져 주격보어로 쓰인다.
- 현재분사(v-ing)는 능동(~한 감정을 느끼게 만드는)의 의미를, 과거분사(p.p.)는 수동(~한 감정을 느끼는)의 의미를 나타낸다.

		구문 노트 ✎
그것은 / ~이었다 / 놀라운		
254 It / was / **amazing**.		→ 동사 amaze의 현재분사 amazing이
고1 3월 S V C(현재분사)		주격보어로 쓰였다.
'혼합된 신호들'은 / ~일 수도 있다 / 혼란스러운		
255 "Mixed-signals" / can be / **confusing**.		→ 동사 confuse의 현재분사
고1 9월 응용 S V C(현재분사)		confusing이 주격보어로 쓰였다.
Serene은 / ~했다 / 놀란		
256 Serene / was / **surprised**.		→ 동사 surprise의 과거분사 surprised
고1 3월 S V C(과거분사)		가 주격보어로 쓰였다.
당신은 / ~일 것이다 / 혼란스러운		
257 You / would be / **confused**.		→ 동사 confuse의 과거분사 confused
고1 3월 응용 S V C(과거분사)		가 주격보어로 쓰였다.
심사 위원들조차 / ~해 보였다 / 실망한		
258 Even the judges / looked / **disappointed**.		→ 동사 disappoint의 과거분사
고1 3월 S V C(과거분사)		disappointed가 주격보어로 쓰였다.

- to부정사는 목적격보어로 올 수 있고, 목적어와 '주어 – 술어'의 의미 관계를 이루며, '목적어가 ~하기를/~하도록'으로 해석한다.
- ask, advise, want, allow, expect, promise, cause, tell, teach 등은 to부정사를 목적격보어로 쓴다.

		구문 노트 🖉

그는 / 요청했다 / 위대한 피아니스트 Ignacy Paderewski에게 / 와서 연주해 달라고

259 He / asked / the great pianist Ignacy Paderewski / **to come and play**.

고1 6월 　　S　　　V　　　　　　　　　　O　　　　　　　　　　C(to부정사구)

→ ask는 to부정사를 목적격보어로 쓰는 동사이다.

그녀의 부모님은 / 예상했다 / 그녀가 / 불이 난 것에 대해 뭔가 말할 것이라고

260 Her parents / expected / her / **to say something about the fire**.

고1 3월 　　S　　　　　V　　　　O　　　　C(to부정사구)

→ expect는 to부정사를 목적격보어로 쓰는 동사이다.

그 부자는 / 명령했다 / 경비병들에게 / 그를 사자 우리에 집어넣으라고

261 The rich man / ordered / guards / **to put him in the lion's cage**.

고1 3월 　　S　　　　　V　　　　O　　　　C(to부정사구)

→ order는 to부정사를 목적격보어로 쓰는 동사이다.

전문가들은 / 조언한다 / 사람들에게 / 승강기 대신 계단을 이용하라고

262 Experts / advise / people / **to take the stairs instead of the elevator**.

고1 3월 　S　　　V　　　O　　　　　C(to부정사구)
응용

→ advise는 to부정사를 목적격보어로 쓰는 동사이다.

이모티콘이 / 가능하게 했다 / 사용자들이 / 감정의 정도를 정확하게 이해하는 것을

263 Emoticons / allowed / users / **to correctly understand the level of emotion**.

고1 6월 　　S　　　V　　　O　　　　　　C(to부정사구)
응용

→ allow는 to부정사를 목적격보어로 쓰는 동사이다.

- 준사역동사 help는 to부정사와 원형부정사(동사원형)를 목적격 보어로 쓴다.

이러한 접근법은 / 도와줄 수 있다 / 당신이 / 불편한 사회적 상황에서 벗어나도록

264 This approach / can help / you / **escape uncomfortable social situations**.

고1 3월 　　S　　　　V　　　　O　　　　C(원형부정사구)
응용

→ help는 to부정사와 원형부정사를 목적격보어로 쓰는 준사역동사이다.

청중의 피드백은 / 도움이 된다 / 연사가 / 언제 속도를 늦출지를 파악하는 데

265 Audience feedback / helps / the speaker / **know when to slow down**.

고1 3월 　　　S　　　　　V　　　　O　　　　　C(원형부정사구)
응용

→ when to slow down은 know의 목적어로 쓰인 「의문사+to부정사구」이다.

Charlie Brown과 Blondie는 / 도와준다 / 내가 / 미소로 하루를 시작할 수 있도록

266 Charlie Brown and Blondie / help / me / **to start the day with a smile**.

고1 3월 　　　　　S　　　　　　　V　　　O　　　C(to부정사구)
응용

- 원형부정사는 목적격보어로 올 수 있고, 목적어와 '주어-술어'의 관계를 이루며, '목적어가 ~하도록/~하는 것을'로 해석한다.
- 사역동사(make, have, let)와 지각동사(see, watch, look at, hear, feel, smell 등)는 원형부정사를 목적격보어로 쓴다.

대표 문장	그녀의 미소는 / 만들었다 / 내가 / 미소 짓도록 그리고 정말 좋은 기분이 들도록	구문 노트
267 고1 3월	Her smile / made / me / **smile and feel really good inside.** S　　　　V　　　O　　　　　　　C(원형부정사구)	→ 사역동사 make는 원형부정사를 목 적격보어로 쓰는 동사이다.

	그 연구자들은 / ~하게 했다 / 참가자들이 / 스트레스를 수반한 과업들을 수행하도록	
268 고1 6월 응용	The researchers / had / participants / **perform stressful tasks.** 　S　　　　　　V　　　　O　　　　　C(원형부정사구)	→ 사역동사 have는 원형부정사를 목적 격보어로 쓰는 동사이다.

	그런 능력은 / ~하게 했다 / 우리 조상이 / 먹잇감을 이기고 앞질러서 달리게	
269 고1 6월	That ability / let / our ancestors / **outmaneuver and outrun prey.** 　S　　　V　　　O　　　　　　　C(원형부정사구)	→ 사역동사 let은 원형부정사를 목적 격보어로 쓰는 동사이다.

	우리는 / 볼 수 있다 / 사람들이 / 공연하거나 음악을 연주하는 것을	
270 고1 3월 응용	We / can watch / people / **perform or play music.** S　　　V　　　　O　　　　　C(원형부정사구)	→ 지각동사 watch는 원형부정사를 목 적격보어로 쓰는 동사이다.

	한 실험 대상자 집단은 / 보았다 / 그 사람이 / 더 많은 문제들을 정확하게 푸는 것을	
271 고1 3월 응용	One group of subjects / saw / the person / **solve more problems correctly.** 　　　S　　　　　　V　　　O　　　　　C(원형부정사구)	→ 지각동사 see는 원형부정사를 목적 격보어로 쓰는 동사이다.

	Andrew Carnegie가 / 한 번은 들었다 / 그의 누이가 / 그녀의 두 아들에 대해 불평하는 것을	
272 고1 3월 응용	Andrew Carnegie / once heard / his sister / **complain about her two sons.** 　　　S　　　　　　V　　　　O　　　　　C(원형부정사구)	→ 지각동사 hear는 원형부정사를 목적 격보어로 쓰는 동사이다.

- 현재분사(v-ing)는 목적격보어로 올 수 있고, 목적어와의 관계가 능동·진행일 때 '목적어가 ~하고 있다'의 의미를 나타낸다.
- 사역동사(have, make), 지각동사, keep, leave, find 등은 현재분사를 목적격보어로 쓸 수 있다.

	구문 노트 ✏

대표 문장 나는 / 보았다 / 새로 출시된 휴대 전화가 / 바로 내 옆에 놓여 있는 것을

273 I / saw / a brand new cell phone / **sitting right next to me.**
고1 3월 응용
S　V　　　　　O　　　　　　　　　　C(현재분사구)

→ 지각동사 see는 능동·진행의 의미를 나타낼 때 현재분사를 목적격보어로 쓴다.

나는 / 보았다 / 뭔가가 / 나를 향해 기어 오고 있는 것을

274 I / saw / something / **creeping toward me.**
고1 3월 응용
S　V　　O　　　　　C(현재분사구)

그들은 / 본다 / 한 직원이 / 다른 사람과 다르게 과업을 시작하고 있는 것을

275 They / see / one employee / **going about a task differently than another.**
고1 6월 응용
S　　V　　　O　　　　　　　　C(현재분사구)

나는 / 들었다 / 무엇인가 / 벽을 따라 천천히 움직이고 있는 소리를

☆**276** I / heard / something / **moving slowly along the walls.**
고1 3월
S　V　　　O　　　　　　C(현재분사구)

→ 지각동사 hear는 능동·진행의 의미를 나타낼 때 현재분사를 목적격보어로 쓴다.

나는 / 알게 된다 / 내 온몸이 / 긴장이 풀리고 있는 것을 / 그리고 편안해짐을

277 I / find / my whole body / **loosening up** / and **at ease.**
고1 9월 응용
S　V　　　O　　　　　C₁(현재분사구)　　　　　C₂

→ 동사 find는 능동·진행의 의미를 나타낼 때 현재분사를 목적격보어로 쓴다.

많은 사람들이 / 발견한다 / 자신이 / 예전 습관으로 되돌아가고 있는 것을

278 Many people / find / themselves / **returning to their old habits.**
고1 6월 응용
S　　　　V　　　O　　　　C(현재분사구)

그는 / 발견했다 / 몇몇 작업자들이 / 안전모를 쓰고 있지 않은 것을

☆**279** He / found / some of the workers / **not wearing their hard hats.**
고1 6월 응용
S　V　　　O　　　　　　　C(현재분사구)

→ 분사의 부정형은 not을 분사 앞에 쓴다.

- 과거분사(p.p.)는 목적격보어로 올 수 있고, 목적어와의 관계가 수동 · 완료일 때 '목적어가 ~되다'의 의미를 나타낸다.
- 사역동사, 지각동사, keep, leave, find 등은 과거분사를 목적격보어로 쓸 수 있다.

		구문 노트 🖊
	당신은 / 느낄 것이다 / 당신의 감정이 / 북돋아지는 것을	
280 고1 3월 응용	You / will feel / your spirit / **lifted**. 　S　　V　　　O　　C(과거분사)	→ 지각동사 feel은 수동·완료의 의미를 나타낼 때 과거분사를 목적격보어로 쓴다.
	당신은 / 원한다 / TV가 / 설치되기를	
281 고1 9월 응용	You / want / the TV / **installed**. 　S　　V　　O　　C(과거분사)	→ 동사 want는 수동·완료의 의미를 나타낼 때 과거분사를 목적격보어로 쓴다.
	우리는 / 발견했다 / 발전기가 / 우리 집 바로 밖에 놓여 있는 것을	
282 고1 3월 응용	We / found / a generator / **parked right outside of our house**. 　S　　V　　　O　　　　C(과거분사구)	→ 동사 find는 수동·완료의 의미를 나타낼 때 과거분사를 목적격보어로 쓴다.

- to부정사(구)는 명사나 대명사를 꾸며 주는 형용사 역할을 한다.
- 「명사+to부정사」의 형태로 '~할/~하는'으로 해석한다.

		구문 노트 ✏
대표 문장 TV는 / ~이었다 / 뉴스에 접근하는 가장 인기가 있는 방법		→ to부정사구가 명사를 수식하는 수
283 TV / was / the most popular way 〈**to access the news**〉.		식어(형용사)로 쓰였다.
고1 3월 응용 ↳ to부정사구		

그것은 / ~이었다 / 그가 평생 해 온 일을 마무리하는 방식으로는 바람직하지 않은

284 It / was / an unfortunate way 〈**to end his lifelong career**〉.

고1 6월 　　　　　　　↳ to부정사구

우리는 / 시작한다 / 시선을 마주치는 능력을 잃기 / (운전 중에) 시속 20마일 정도에서

285 We / begin / to lose the ability 〈**to keep eye contact**〉 around 20 miles per hour.

고1 3월 응용 　　　　　　　　↳ to부정사구

교실 안의 소음은 / 부정적인 영향을 미친다 / 의사소통 패턴과 주의를 기울이는 능력에

286 Noise in the classroom / has negative effects / on communication patterns

고1 3월 and the ability 〈**to pay attention**〉.

　　　　　　↳ to부정사구

이렇게 마지막 순간에 변경을 해야 하는 시간적 압박은 / 될 수 있다 / 스트레스의 원인이

287 Time pressures 〈**to make these last-minute changes**〉 can be / a source of

고1 9월 　　　　　　↳ to부정사구

stress.

분명히 / 그 수업은 / 필요로 한다 / 그것을 가르칠 교사를 / 그리고 그것을 들을 학생들을

288 Clearly, / the class / requires / a teacher 〈**to teach it**〉 and students 〈**to take it**〉.

고1 3월 　　　　　　　　↳ to부정사구　　　　　↳ to부정사구

→ 수식받는 명사가 to부정사구가 나타
내는 동작을 하는 것으로 해석될 때,
명사는 의미상 to부정사구의 주어가
된다.

Dorothy Hodgkin은 / 되었다 / Copley 메달을 수상한 최초의 여성이

289 Dorothy Hodgkin / became / the first woman 〈**to receive the Copley Medal**〉.

고1 9월 응용 　　　　　　　　　↳ to부정사구

현재 / 에콰도르는 / 되었다 / 자연의 권리를 헌법에 포함시킨 지구상 첫 번째 국가가

290 Now / Ecuador / has become / the first nation on Earth 〈**to put the rights of**

고1 9월 　　　　　　　　　　↳ to부정사구

nature in its constitution〉.

・「-thing/-one/-body(+형용사)+to부정사(구)」의 형태로 형용사와 to부정사(구)가 대명사를 뒤에서 수식한다.

모든 사람은 / 가지고 있다 / 행복을 느끼는 무언가를	**구문 노트** 🖊
291 Everyone / has / something 〈**to be happy about**〉.	→ to부정사구가 대명사를 수식하는
고1 6월 ↰ to부정사구+전치사	수식어(형용사)로 쓰였다.
그는 / 탓할 사람이 아무도 없다 / 자신 외에 / 어떤 문제에 대해	
292 He / has no one 〈**to blame**〉 but himself / for some problem.	
고1 9월 응용 ↰ to부정사	
일어나서 당신을 계속 응원할 사람이 아무도 없다	
☆ **293** There is no one 〈**to stand up and cheer you on**〉.	→ 동사구(cheer on)의 목적어가 대명사
고1 3월 응용 ↰ to부정사구	일 때는 「동사+목적어+부사」 어순
	으로 쓴다. 부사 on은 '계속해서'라
이해해야 할 것도 없을 것이다 / 그리고 과학을 해야 할 이유도 없을 것이다	는 의미가 있다.
294 There would be nothing 〈**to figure out**〉 and there would be no reason for	
고1 6월 ↰ to부정사구	
science.	

- 「현재분사/과거분사＋명사」 또는 「명사＋현재분사구/과거분사구」의 형태로 쓰이는 분사는 명사를 수식하는 형용사 역할을 한다.
- 명사와 분사의 관계가 능동·진행일 때 현재분사를 쓰며, '~하는/~할/~하고 있는'의 뜻으로 명사의 행동이나 상태를 표현한다.

	구문 노트 ✏

대표 문장

그는 / 가리켰다 / 길을 걸어가고 있는 소녀를

295 He / pointed at / a girl ⟨**walking up the street**⟩.

고1 3월   ↳ 현재분사구

→ 현재분사구가 명사를 뒤에서 수식하는 수식어(형용사)로 쓰였다.

그는 / ~이었다 / 무책임한 아이를 다루는 책임감 있는 사람

296 He / was / a responsible man ⟨**dealing with an irresponsible kid**⟩.

고1 9월   ↳ 현재분사구

광장은 / 텅 비어 있었다 / 무섭고 날카로운 표정으로 나를 응시하는 검은 고양이를 제외하고

297 The square / was empty / except for a black cat ⟨**staring at me with a scary,**

고1 6월   ↳ 현재분사구

sharp look⟩.

우리는 / 지불해야 한다 / 대가를 / 우리 앞에 놓인 더 큰 보상을 성취하기 위해

☆298 We / must pay / the price / for achieving the greater rewards ⟨**lying ahead of us**⟩.

고1 3월 응용   ↳ 현재분사구

→ achieving 이하는 전치사 for의 목적어이다.

Dorothy는 / 알아차렸다 / 부엌에서 비치는 이상한 불빛을

299 Dorothy / noticed / a strange light ⟨**shining from the kitchen**⟩.

고1 3월 응용   ↳ 현재분사구

상으로 좋은 과학 용품을 받을 기회를 얻으려면 / 제출하기만 하면 된다 / 학교 밖에서 과학을 즐기는 자신의 셀카 사진을

☆300 For a chance to win science goodies, / just submit / a selfie of yourself ⟨**enjoying**

고1 3월   ↳ 현재분사구

science outside of school⟩!

→ to win ~ goodies는 명사 a chance를 수식하는 to부정사구이다.

나는 / 주변을 살펴보았다 / 그리고 발견했다 / 나를 기다리는 나의 운전기사를 / 그의 회색 승합차 앞에서

301 I / looked around / and found / my driver ⟨**waiting for me**⟩ in front of his

고1 6월 응용   ↳ 현재분사구

gray van.

안전한 자전거 도로와 산책로가 있는 동네에 사는 사람들은 / 이용한다 / 자주 그것들을

☆302 People ⟨**living in neighborhoods with safe biking and walking lanes**⟩ use /

고1 3월 응용   ↳ 현재분사구

them often.

→ 현재분사구 내 전치사구 with ~ lanes는 명사 neighborhoods를 뒤에서 수식한다.

• 명사와 분사의 관계가 수동·완료일 때 과거분사를 쓰고, '~해진/~된/~한'으로 해석한다.

구문 노트

책을 다시 읽는 것은 / 가져다준다 / 새로워진 이해를 / 그 책에 대한

303 Rereading / brings / **renewed** understanding / of the book.

고1 6월
응용
　　　　　　　　　　과거분사 ↶

→ 과거분사가 명사를 앞에서 수식하는 수식어(형용사)로 쓰였다.

개인들은 / 만들어야 한다 / 글로 쓴 메모로 / 긍정적인 의견을 / 그들의 개인적인 기여에 대한

304 Individuals / should make / **written** notes / on the positive comments /

고1 9월
응용
　　　　　　　　　　　　　　과거분사 ↶

about their own personal contributions.

그것은 / 기반으로 한다 / St. Benno and the Frog라고 불리는 이야기를

305 It / is based / on a story ⟨**called St. Benno and the Frog**⟩.

고1 3월
응용
　　　　　　　↶ 과거분사구

→ 과거분사구가 명사를 뒤에서 수식하는 수식어(형용사)로 쓰였다.

이것은 / ~이다 / 일상적인 경험 / 걸음마를 배우는 아기들 사이의 끊임없는 싸움으로 문제를 겪고 있는 부모들의

306 This / is / the daily experience / of parents ⟨**troubled by constant quarreling**

고1 3월
　　　　　　　　　　　　　　　　　↶ 과거분사구

between toddlers⟩.

반복된 경험은 / 되살려 준다 / 책을 통해 생겨난 처음의 감정을

307 The **repeated** experience / brings back / the initial emotions ⟨**caused by the**

고1 6월
응용
　　　과거분사 ↶　　　　　　　　　　　　　　　　↶ 과거분사구

book⟩.

→ 과거분사와 과거분사구가 명사를 각각 앞, 뒤에서 수식하는 수식어(형용사)로 쓰였다.

- to부정사(구)는 동사에 다양한 의미를 더해 주는 부사 역할을 한다.
- 「(in order/so as +)to부정사」는 목적을 나타내며 '~하기 위해서/~하도록'으로 해석한다.

구문 노트 ✏️

대표 문장 당신은 / 필요하지 않다 / 복잡한 문장들이 / 생각을 표현하기 위해

308 You / don't need / complex sentences / **to express ideas**.

고1 6월   to부정사구(목적)

→ to부정사구가 목적을 나타내는 수식어(부사)로 쓰였다.

Isaac Newton 경은 / 고안해내야 했다 / 수학의 새로운 분야(미적분학)를 / 그 문제를 해결하기 위해

309 Sir Isaac Newton / had to invent / a new branch of mathematics (calculus) /

고1 3월 응용   **to solve the problems**.

       to부정사구(목적)

소비자들은 / 대개 동기 부여를 받는다 / 많은 전략을 사용하도록 / 위험을 줄이기 위해

310 Consumers / are usually motivated / to use a lot of strategies / **to reduce risk**.

고1 3월 응용   to부정사구(목적)

→ to use ~는 보어 역할을 하는 to부정사이다.

부상(浮上)하기 위해서 / 물고기는 / 낮춰야 한다 / 자신의 총 밀도를 / 그리고 대부분의 물고기는 / 이렇게 한다 /

☆ 311 **To rise**, / a fish / must reduce / its overall density, / and most fish / do this /

고1 6월   to부정사구(목적)

→ 목적을 나타내는 to부정사(구)는 문장 앞에 쓸 수 있다.

부레를 통해

with a swim bladder.

그들은 / 바꾼다 / 그들의 이름을 / 그들의 사회 내 자신들의 위치를 반영하기 위해

312 They / change / their names / **to reflect their position within their society**.

고1 3월 응용   to부정사구(목적)

자라기 위해서 / 손톱은 / 필요하다 / 글루코오스가

313 **In order to grow**, / fingernails / need / glucose.

고1 9월 응용   to부정사구(목적)

→ 「In order+to부정사」가 목적을 나타내는 수식어(부사)로 쓰였다.

- 판단의 근거(~하다니)나 감정의 원인(~해서/~하게 되어서)을 나타내는 to부정사는 부사 역할을 한다.

그는 / 어리석을 것이다 / 그의 기존의 비전을 고수하다니 / 새로운 데이터 앞에서

314 He / will be foolish / **to stick to his old vision** / in the face of new data.

고1 9월 응용   판단   to부정사구(판단의 근거)

→ to부정사구가 판단의 근거를 나타내는 수식어(부사)로 쓰였다.

그는 / 기뻤다 / 그들 각각에게 100달러짜리 수표를 보내게 되어

315 He / was happy / **to send each of them a check for a hundred dollars.**

고1 3월 응용　　　감정　　　　　　　　　　to부정사구(감정의 원인)

구문 노트 ✎
→ to부정사구가 감정의 원인을 나타
내는 수식어(부사)로 쓰였다.

우리는 / 기쁘다 / North Carolina주 Raleigh에 최신 Sunshine 문구점의 개점을 알리게 되어

316 We / are excited / **to announce the opening of the newest Sunshine**

고1 3월　　　감정　　　　　　　　　　to부정사구(감정의 원인)

Stationery Store in Raleigh, North Carolina!

학교에서 유일한 전학생으로서 / 그녀는 / 기뻤다 / 실험실 파트너를 갖게 되어

317 As the only new kid in the school, / she / was pleased / **to have a lab partner.**

고1 6월　　　　　　　　　　　　　감정　　　　　to부정사구(감정의 원인)

· 결과를 나타내는 to부정사는 '~해서 (결국) …하다'로 해석한다.

Moinee는 / 별에서 떨어졌다 / Tasmania로 / 그래서 죽었다

318 Moinee / fell out of the stars / down to Tasmania / **to die.**

고1 3월　　　　　　　　　　　　　　　to부정사구(결과)

→ to부정사구가 결과를 나타내는 수
식어(부사)로 쓰였다.

Toby Long은 / 몸을 돌려서 / 자신의 뒤에 서 있는 에티오피아 소년을 발견했다

☆**319** Toby Long / turned around / **to find an Ethiopian boy standing behind him.**

고1 3월 응용　　　　　　　　　　　　to부정사구(결과)

→ standing 이하는 an Ethiopian boy
를 수식하는 현재분사구이다.

- to부정사(구)는 형용사, 부사를 수식하는 부사 역할을 한다.
- 「형용사+to부정사」의 형태로 쓰이고, '~하기에 …한'으로 해석한다.

구문 노트

대표 문장 Joshua tree는 / ~이다 / 먹기 힘든 / 오늘날의 기준으로는

320 Joshua trees / are / hard ⟨**to eat**⟩ by today's standards.
고1 6월 응용　　　　　　　　　　↳ to부정사

→ to부정사(구)가 형용사를 수식하는 수식어(부사)로 쓰였다.

하나의 결정은 / ~이다 / 무시하기 쉬운

321 A single decision / is / easy ⟨**to ignore**⟩.
고1 3월　　　　　　　　　↳ to부정사

이러한 미세 플라스틱은 / ~이다 / 측정하기가 매우 어려운

322 These microplastics / are / very difficult ⟨**to measure**⟩.
고1 6월 응용　　　　　　　　　　　　↳ to부정사

그 시기의 과식은 / ~이었다 / 생존을 보장하는 데 필수적인

323 Overeating in those times / was / essential ⟨**to ensure survival**⟩.
고1 9월 응용　　　　　　　　　　　↳ to부정사구

역사를 공부하는 것은 / 만들어 줄 수 있다 / 당신을 / 함께 말하기에 더 유식하거나 재미있는 사람으로

☆324 Studying history / can make / you / more knowledgeable or interesting ⟨**to**
고1 9월 응용　　　　　　　　　　　　　　　　　　　　　　　↳

talk to⟩.
　to부정사구

→ 동명사구가 주어로 쓰였다.

→ to부정사구가 목적격보어 역할을 하는 형용사구를 수식하며, to talk 뒤의 to는 전치사이다.

- 「형용사/부사+enough+to부정사」는 '~할 정도로 충분히 …한/하게'로 해석한다.
- 「too+형용사/부사+to부정사」는 '~하기에는 너무 …한/하게, 너무 …해서 ~할 수 없다'로 해석한다.

Amy는 / 너무 놀라서 고개를 끄덕이는 것 외에 어떤 것도 할 수 없었다

325 Amy / was **too** surprised ⟨**to do anything but nod**⟩.
고1 6월　　　　　　　too+형용사+to부정사

→ 「too+형용사/부사+to부정사」의 to부정사는 형용사/부사를 수식하는 수식어(부사)이다.

뒤뜰의 잔디는 / 깎기에 너무 길었다

326 The backyard grass / was **too** high ⟨**to mow**⟩.
고1 9월 응용　　　　　　　too+형용사+to부정사

Birdseye의 호기심은 / ~였다 / 사물을 보는 일상적인 관점에서 그를 벗어나게 할 만큼 충분히 강한

구문 노트 ✏

327 Birdseye's curiosity / was / strong **enough** 〈**to lift him out of the routine**

고1 6월
응용

형용사+enough+to부정사

→ 「형용사/부사+enough+to부정사」

의 to부정사는 형용사/부사를 수식

way / **of seeing things**〉.

하는 수식어(부사)이다.

• 문장 전체를 수식하는 to부정사구는 관용적 표현으로 쓰이며, 독립적인 의미를 나타낸다.

- to tell the truth: 사실대로 말하자면
- to be honest[frank] with you: 솔직히 말해서
- to be specific: 구체적으로 말하자면
- to make matters worse: 설상가상으로
- to begin[start] with: 우선, 무엇보다도
- to name a few things: 몇 가지를 언급하자면

좀 더 구체적으로 말해서 / 보통 로봇은 / 보인다 / 이미 정해진 행동을

328 **To be a bit more specific**, [the normal robot / shows / deterministic behaviors].

고1 3월

to부정사구(관용 표현) ⤸

→ 관용적 표현의 to부정사는 문장 전

체를 수식하는 수식어(부사)이다.

2010년대의 인공 지능의 급속한 발전으로 / 컴퓨터는 / 이제 얼굴을 인식하고 / 언어를 번역하고 / 당신을

329 With the artificial intelligence boom of the 2010s, [computers / can now

고1 6월

대신해 전화를 받고 / 시를 쓸 수 있으며 / 선수들을 이길 수 있다 / 세계에서 가장 복잡한 보드게임에서 /

recognize faces, / translate languages, / take calls for you, / write poems, /

몇 가지를 언급하자면

and beat players / at the world's most complicated board game], **to name**

a few things.

to부정사구(관용 표현)

- 분사구문은 문장 앞이나 중간 또는 뒤에 쓰여 문장의 의미를 더해 주는 부사 역할을 한다.
- 현재분사가 이끄는 분사구문은 '능동'을 나타내며, 문장과의 관계에 따라 여러 의미로 해석한다.
  - 시간: ~할 때/~하고 나서　　　　– 이유: ~하기 때문에/~해서　　　　– 조건: ~라면/~한다면
  - 양보: 비록 ~일지라도　　　　– 동시동작: ~하면서/~하는 동안　　　　– 연속동작: ~하고 나서 …하다

		구문 노트 🖊

대표 문장　Dorothy는 / 말했다 / 그녀에게 / 흐느껴 울면서 코를 훌쩍거리며

330 Dorothy / told / her, ⟨**sobbing and sniffing**⟩.　　→ 동시동작(~하면서)을 나타내는 분
고1 3월　　S　　　V　　　　분사구문(동시동작)　　　　사구문이 쓰였다.

그 동물이 / 보호해 주고 있었다 / 나를 / 수면으로 나를 들어 올리며

331 The animal / was protecting / me, ⟨**lifting me toward the surface**⟩.
고1 3월
응용　　S　　　　V　　　　　분사구문(동시동작)

당신의 발은 / 사실상 ~일 수도 있다 / 하루 중 시간에 따라 크기가 다른 / 커졌다가 다음 날 아침에 '정상'으로

332 Your feet / can actually be / different sizes at different times of the day,
고1 6월
응용　　S　　　　V

돌아오면서

⟨**getting larger and returning to "normal" by the next morning**⟩.
　　　　　　분사구문(동시동작)

이것을 보고 나서 / 모든 사람이 / 놀랐다

333 ⟨**Seeing this**⟩, everyone / was surprised.　　→ 시간(~하고 나서)을 나타내는 분
고1 3월　분사구문(시간)　　S　　　V　　　　　　　구문이 쓰였다.

한 학생은 / 결정했다 / 그 장애물들을 피하기로 / 그러고 나서 끝까지 더 쉬운 길을 갔다

334 One student / chose / to avoid the obstacles, ⟨**taking the easier path to the end**⟩.　→ 연속동작(~하고 나서 …하다)을 나
고1 9월　　S　　V　　　　　　　　분사구문(연속동작)　　　　타내는 분사구문이 쓰였다.

Hamwi는 / 말아 올렸다 / 와플을 / 그리고 놓았다 / 꼭대기에 한 숟가락의 아이스크림을 / 그러고 나서 세계 최초의

335 Hamwi / rolled up / a waffle / and put / a scoop of ice cream on top, ⟨**creating**
고1 3월
응용　　S　　V₁　　　　　　　V₂

아이스크림콘 중의 하나를 만들었다

one of the world's first ice-cream cones⟩.
　　　　　　분사구문(연속동작)

가능한 가장 좋은 인상을 주고 싶어서 / 그 미국 회사는 / 보냈다 / 자사의 가장 유망한 젊은 임원을

336 ⟨**Wanting to make the best possible impression**⟩, the American company /　→ 이유(~해서)를 나타내는 분사구문
고1 3월
응용　　　　　　분사구문(이유)　　　　　　　　　　S　　　　　이 쓰였다.

sent / its most promising young executive.
　V

- 「(Being+)P.P. ~」의 분사구문은 '수동'을 나타내며, 문장과의 관계에 따라 여러 의미로 해석한다.
- 「Having+p.p. ~」의 분사구문은 '문장의 시제보다 앞선 시제'를 나타낸다.

		구문 노트 ✏
	과학적 지식으로 무장하고 나서 / 사람들은 / 만든다 / 도구와 기기를	
337 고1 9월 응용	〈**Armed with scientific knowledge**〉, people / build / tools and machines. 　　분사구문(수동·연속동작)　　　　　　　S　　V	→ (Being) P.P. 형태의 수동 분사구문 이 쓰였다.
	텅 빈 거리 혹은 활기찬 거리를 걷기라는 선택에 직면하면 / 대부분의 사람들은 / 선택할 것이다 / 활기찬 거리를	
338 고1 3월	〈**Faced with the choice** / **of walking down an empty or a lively street**〉, 　　　　　　　분사구문(수동·조건) most people / would choose / the street with life and activity. 　　S　　　　　V	
	생각해 보라 / 아이의 마음을 / 경험한 것이 거의 없어서 / 세상은 / ~이다 / 신비하고 흥미로운 장소	
339 고1 9월	Consider / the mind of a child: 〈**having experienced so little**〉, the world / is / 　　　　　　　　　　　　　　　분사구문(완료·이유)　　　　　　S　　V a mysterious and fascinating place.	→ 「Having+p.p.」 형태의 완료 분사구 문이 쓰였다.
	비행기 좌석에서 그날 밤을 보낸 후 / 임원들은 / 생각해 냈다 / '획기적인 혁신안'을	
340 고1 9월	〈**After having spent that night in airline seats**〉, the company's leaders / 　　시간 접속사+분사구문(완료)　　　　　　　　　　　　　S came up with / some "radical innovations." 　　　V	→ 의미를 명확하게 하기 위해 분사구 문 앞에 접속사를 쓰는 경우도 있다.

UNIT 7 / 1 절의 주어 역할

- 접속사 That이 이끄는 명사절(「That+S+V ~」)은 문장의 주어 자리에 올 수 있고, '~라는 것은/~하다는 것은'으로 해석한다.
- 접속사 Whether가 이끄는 명사절(「Whether+S+V ~」)은 문장의 주어 자리에 올 수 있고, '~인지(아닌지)는'으로 해석한다.
- That절은 확실한 정보를 나타내는 반면, Whether절은 불확실한 정보를 나타낸다.
- 명사절 주어는 단수 취급하고, 명사절 주어 대신 가주어 It을 문장 앞에 쓰는 것이 일반적이다.

대표 문장		구문 노트 ✏

대표 문장

당신이 동시에 여러 가지 일을 할 수 있다는 것은 / ~일지도 모른다 / 사실인

341 [**That you can multitask at once**] may be / true.

고1 3월 응용   S(That절: That+S+V ~)   V

→ That이 이끄는 명사절이 주어로 쓰였다.

내가 어질러진 방에서 지내는 것을 좋아하는지 아닌지는 / ~이었다 / 다른 문제

342 [**Whether I liked living in a messy room or not**] was / another subject.

고1 6월 응용   S(Whether절: Whether+S+V ~ or not)   V

→ Whether가 이끄는 명사절이 주어로 쓰였다.

- 관계대명사 What이 이끄는 명사절(「What+(S+)V ~」)은 문장의 주어 자리에 올 수 있고, '~하는 것은'으로 해석한다.
- What이 이끄는 절은 what이 절 내의 주어, 목적어 또는 보어의 역할을 하는 불완전한 구조이다.

그들이 가장 성가신 것으로 여기는 것은 / ~이다 / 시간

343 [**What they find most bothersome**] is / time.

고1 9월 응용   S(What절: What+S+V ~)   V

→ What이 이끄는 명사절 주어 뒤에 단수 동사 is가 쓰였다.

→ What이 절 내의 목적어 역할을 하고 있다.

당신이 거기서 한 것은 / ~이다 / 전기의 한 형태를 만든 것 / 정전기라고 불리는

344 [**What you have done there**] is / to create a form of electricity / called static

고1 9월   S(What절: What+S+V ~)   V

electricity.

당신이 물려받았고 지금 더불어 살아가고 있는 것은 / 될 것이다 / 미래 세대의 유산이

345 [**What you inherited and live with**] will become / the inheritance of future

고1 6월   S(What절: What+S+V ~)   V

generations.

이 모든 사람들을 견디게 했던 것은 / ~이었다 / 자신들의 주제에 대한 열정

346 [**What kept all of these people going**] was / their passion for their subject.

고1 3월 응용   S(What절: What+V ~)   V

→ What이 절 내의 주어 역할을 하고 있다.

- 의문사가 이끄는 명사절(「Who[What/Which/When/Where/Why/How]+(S+)V ~」)은 문장의 주어 자리에 올 수 있다.
- 의문사절 주어는 의문사에 따라 '누가[무엇이/어느 쪽이/언제/어디서/왜/어떻게] ~하는지는'으로 해석한다.

어떻게 시각적인 입력 정보가 맛과 냄새에 우선할 수 있는가는 / 아마 ~일 것이다 / 놀라운

구문 노트 🖊

347 [**How visual input can override taste and smell**] is perhaps / surprising.

고1 9월 응용   S(의문사절: How+S+V ~)   V

→ 의문사가 이끄는 명사절 주어 뒤에

단수 동사 is가 쓰였다.

어떤 사람이 하루를 어떻게 접근하는가는 / 영향을 준다 / 그 사람의 삶의 다른 모든 부분에

348 [**How a person approaches the day**] impacts / everything else in that person's

고1 9월 응용   S(의문사절: How+S+V ~)   V

life.

- 접속사 that이 이끄는 명사절(「that+S+V ~」)은 문장의 목적어 자리에 올 수 있고, '~라는 것을/~하다는 것을/~라고'로 해석한다.
- 주로 동사 believe, find, hear, hope, know, say, think 등의 목적어로 쓰인다.

	구문 노트 ✎

대표 문장 학생들은 / 틀림없이 알 것이다 / 당신이 그들에 대해 신경 쓴다는 것을

349 The students / must know [**that you care about them**].

고13월 응용　　　　S　　　　　V　　　　　　O(that절: that+S+V ~)

→ that이 이끄는 명사절이 목적어로 쓰였다.

나는 / 알게 되었다 / 대부분의 사람들이 자신들과 똑 닮은 사람들을 고용하고 싶어 한다는 것을

350 I / have found [**that most people like to hire people just like themselves**].

고13월　S　　V　　　　　　　O(that절: that+S+V ~)

우리는 / 믿는다 / 결정의 질은 시간과 직접적인 관계가 있다고

351 We / believe [**that the quality of the decision is directly related to the time**].

고13월 응용　S　　V　　　　　　　O(that절: that+S+V ~)

삶에서 / ~라고 한다 / 어떤 것이든 과도하면 당신에게 이롭지 않다고

352 In life, / they / say [**that too much of anything is not good for you**].

고13월　　　　S　　V　　　　　O(that절: that+S+V ~)

→ they say that ~: ~라고 한다.

수영의 건강상 이점을 증진시킴으로써, / 그녀는 / 기대한다 / 더 많은 학생들이 그녀의 수업을 통해 건강해지기를

353 By promoting the health benefits of swimming, / she / hopes [**that more**

고16월　　　　　　　　　　　　　　　　　　　　　　S　　V　　O(that절:

students will get healthy through her instruction].

that+S+V ~)

- that절이 목적어로 쓰일 때 that은 생략할 수 있다.

우리는 / 생각한다 / 그러한 말들이 객관적이라고 / 그러나 그것들은 / 그렇지 않다

354 We / think [**such statements are objective**], / but they / aren't.

고13월　S　　V　　O(that절: (that+)S+V ~)

→ think의 목적어로 쓰인 명사절에 접속사 that이 생략되어 있다.

나는 / 믿는다 / 이 새로운 세기의 두 번째 10년은 이미 매우 다르다고

355 I / believe [**the second decade of this new century is already very different**].

고19월　S　　V　　　　　O(that절: (that+)S+V ~)

→ believe의 목적어로 쓰인 명사절에 접속사 that이 생략되어 있다.

- 관계대명사 what이 이끄는 명사절(「what+(S+)V ~」)은 문장의 목적어 자리에 올 수 있다.
- what절 목적어는 '(S가) ~하는 것을'로 해석한다.

		구문 노트 ✏
	많은 사람들은 / 생각한다 / 미래에 일어날 수 있는 것을 / 과거의 실패에 근거하여	
356 고1 3월 응용	Many people / think of [**what might happen in the future**] based on past 　　S　　　　　V　　　　　　　　O(what절: what+V ~) failures.	→ what절이 목적어로 쓰였다.
	많은 요인들이 / 결정한다 / 우리가 해야 할 것을	
357 고1 6월 응용	Many factors / determine [**what we should do**]. 　　S　　　　　V　　　　O(what절: what+S+V)	
	더 많이 생각한 후에, / 그는 / 했다 / 많은 사람들이 믿을 수 없다고 여기는 결정을	
358 고1 3월 응용	After more thought, / he / made [**what many considered an unbelievable** 　　　　　　　　　　S　　V　　　O(what절: what+S+V ~) **decision**].	
	그냥 생각해 보아라 / 서로에게서 배울 수 있는 것을	
359 고1 3월 응용	Just think of [**what you can learn from each other**]. 　V　　　　　O(what절: what+S+V ~)	→ 주어 You가 생략된 명령문에 what절이 목적어로 쓰였다.
	절대로 말하지 말아라 / 나에게 / 당신이 생각하는 것을	
☆ **360** 고1 3월 응용	Don't ever tell / me [**what you think**]. 　　V　　　　IO　DO(what절: what+S+V)	→ 동사 tell 뒤에 간접목적어 me와 직접목적어 what절이 순서대로 쓰였다.

UNIT 7 / 3 절의 목적어 역할 ②

- 접속사 whether와 if가 이끄는 명사절(「whether[if]+S+V ~ (or not)」)은 문장의 목적어 자리에 올 수 있고, '~인지(아닌지)를'로 해석한다.
- 주로 동사 ask, tell, wonder 등의 목적어로 쓰인다.

	구문 노트 ✏
대표 문장 청중의 피드백은 / 흔히 보여준다 / 청중들이 연사의 생각을 이해했는지 아닌지를	→ 명사절을 이끄는 접속사 whether
361 Audience feedback / often indicates [**whether listeners understand the**	대신 if를 쓸 수도 있다.
고1 3월 응용 ⎯⎯⎯S⎯⎯⎯ ⎯⎯⎯V⎯⎯⎯ O(whether절: whether+S+V ~)	
speaker's ideas].	
유인원들은 / 구분할 수 있다 / 사람들이 현실에 대해 잘못된 신념을 가지고 있는지 아닌지를	
☆ **362** Great apes / can distinguish [**whether or not people have a false belief**	→ whether or not ~은 가능하지만
고1 9월 응용 ⎯⎯⎯S⎯⎯⎯ ⎯⎯⎯V⎯⎯⎯ O(whether절: whether or not+S+V ~)	if or not은 불가능하다.
about reality].	
나는 / 물어보았다 / 그녀가 그 항공사에 근무하는지를	
363 I / asked [**if she worked with the airline**].	→ 명사절을 이끄는 접속사 if 대신
고1 3월 응용 S V O(if절: if+S+V ~)	whether를 쓸 수도 있다.
나는 / 궁금하다 / 그 어린 소년이 만 장의 셔츠 중 하나를 받을지	
364 I / wonder [**if that little boy will get one of the ten thousand shirts**].	→ 「one of+복수명사」는 '~ 중 하나'
고1 3월 응용 S V O(if절: if+S+V ~)	라는 의미이다.

- 의문사가 이끄는 명사절(「의문사+(S)V ~」)은 문장의 목적어 자리에 올 수 있다.
- 의문사절 목적어는 의문사에 따라 '누가[무엇이/어느 쪽이/언제/어디서/왜/어떻게] (주어)가 ~하는지를'로 해석한다.

한 연구에서 / 연구자들은 / 살펴보았다 / 사람들이 인생의 과제에 어떻게 대응하는지를	
365 In one study, / researchers / looked at [**how people respond to life challenges**].	→ 의문사절이 목적어로 쓰였다.
고1 6월 응용 S V O(의문사절: how+S+V ~)	
이 이론은 / 설명할 수 있다 / 부분적으로 / 왜 시간이 아이들에게는 더 천천히 가는 것으로 느껴지는지를	
366 This theory / could explain / in part [**why time feels slower for children**].	
고1 9월 S V O(의문사절: why+S+V ~)	

누군가가 / 결정해야 했다 / 언제 그 수업이 열릴지를

367 Someone / had to decide [**when the class would be held**].

고1 3월 응용   S   V   O(의문사절: when+S+V)

구문 노트 ✎

말해봐 / 나에게 / 무슨 일이 있었는지

☆ 368 Tell / me [**what happened**].

고1 3월 응용   V   IO   DO(의문사절: what+V)

→ 동사 tell 뒤에 간접목적어 me와
직접목적어 의문사절이 순서대로
쓰였다.

> • 의문사 how가 이끄는 명사절은 「how+형용사/부사+(S+)V」 형태로 쓸 수 있다.
> • 의문사 what[which]이 이끄는 명사절은 「what[which]+명사(구)+(S+)V」 형태로 쓸 수 있다.

나이테는 / 알려줄 수 있다 / 우리에게 / 그 나무가 몇 살인지를, / 그리고 날씨가 어떠했는지를

369 Tree rings / can tell / us [**how old the tree is**], / and [**what the weather was like**].

고1 6월 응용   S   V   IO   DO₁(의문사절: how+형용사+S+V)   DO₂(의문사절: what+S+V ~)

그 연구자들은 / 측정했다 / 이 실험 참가자들이 긍정적인 결과를 얼마나 많이 기대했는지를

370 The researchers / measured [**how much these participants expected a**

고1 6월 응용   S   V   O(의문사절: how+부사+S+V ~)

positive outcome].

그는 / 물어보았다 / 그것들이 무슨 종류의 곤충들인지

371 He / asked [**what kind of insects they were**].

고1 9월 응용   S   V   O(의문사절: what+명사구+S+V)

• 접속사 whether, 관계대명사 what, 의문사가 이끄는 명사절은 전치사의 목적어 역할을 할 수 있다.

		구문 노트 ✎
	'near'과 'far' 같은 단어들은 / 의미할 수 있다 / 여러 가지를 / 당신이 어디에 있는지에 따라 / 그리고 당신이	→ 의문사가 이끄는 명사절이 전치사의
372 고1 6월	Words like 'near' and 'far' / can mean / different things / depending on	목적어로 쓰였다.
	무엇을 하는지에 따라	
	[**where you are**] and [**what you are doing**].	
	전치사의 목적어₁(의문사절: where+S+V) └ 전치사의 목적어₂(의문사절: what+S+V)	
	근거하지 마라 / 당신의 결정을 / 과거가 어땠는지에	
373 고1 3월	Do not base / your decision / on [**what yesterday was**].	
	전치사의 목적어(의문사절: what+S+V)	
	아마 / 그들 중 가진 사람들은 거의 없었을 것이다 / 생각들을 / 이 관습이 다른 분야와 어떻게 연관될 수 있는지에 대한	
374 고1 6월 응용	Probably / few of them had / thoughts / about [**how this custom might**	→ few는 '거의 없는'이라는 부정의
	전치사의 목적어(의문사절: how+S+V ~)	의미를 갖는다.
	relate to other fields].	
	여러분은 / 신경 쓰지 않을 수도 있다 / 새로운 직장 생활을 6월에 시작하든지 7월에 시작하든지에	
☆**375** 고1 3월 응용	You / may not care about [**whether you start your new job in June or July**].	→ whether가 이끄는 명사절이 전치사의 목적어로 쓰였다.
	전치사의 목적어(whether절: whether+S+V ~)	→ that절은 전치사의 목적어 자리에 올 수 없다.

- 접속사 that과 whether, 관계대명사 what, 의문사가 이끄는 명사절은 문장의 보어 자리에 올 수 있다.
- 명사절 보어는 주어를 보충 설명하는 주격보어이며, 주로 be동사 뒤에 쓰인다.

대표 문장 그것이 / ~이다 / Newton과 여타 과학자들을 매우 유명하게 만든 것	**구문 노트**
376 That / is [**what made Newton and the others so famous**].	→ 명사절이 주어를 보충 설명하는 주
고1 3월 S V C(what절: what+V ~)	격보어로 쓰였다.

아리스토텔레스의 의견은 / ~이다 / 미덕이 중간 지점에 있다는 것

377 Aristotle's suggestion / is [**that virtue is the midpoint**].

고1 6월 응용   S   V   C(that절: that+S+V ~)

중요한 문제는 / ~이다 / 인터넷 사용자들이 온라인상의 의사소통에서 감정을 이해하는 데 / 이모티콘들이 도움을 주는지

378 An important question / is [**whether emoticons help Internet users to**

고1 6월 응용   S   V   C(whether절: whether+S+V ~)

understand emotions in online communication].

→ whether절 내의 동사 help는 준사역

동사로, 목적격보어로 to부정사나

원형부정사를 쓴다.

- 주격 관계대명사 who/which/that이 이끄는 절은 앞에 있는 선행사를 수식한다.
- 「who/which/that+V ~」의 형태로 관계대명사가 절 안에서 주어 역할을 하며, 'V하는 (선행사)'로 해석한다.
- 주격 관계대명사절의 동사는 선행사의 수에 일치시킨다.

대표 문장 사람은 / 결코 위험을 무릅쓰지 못하는 / 배울 수 없다 / 아무것도	**구문 노트**
379 A person [**who can never take a risk**] can't learn / anything.	→ 주격 관계대명사 who가 이끄는
고13월 　　S 　　↳ 관계대명사절(who+V ~) 　　　　　V 　　　O	관계대명사절이 수식어(형용사)로
	쓰였다.
사람은 / 임상적으로만 사망한 / 종종 소생될 수 있다	
380 Someone [**who is only clinically dead**] can often be brought back to life.	
고19월 　　S 　↳ 관계대명사절(who+V ~) 　　　　　V	
의류는 / 운동에 적절한 / 향상시킬 수 있다 / 당신의 운동 경험을	
381 Clothing [**that is appropriate for exercise**] can improve / your exercise	→ 주격 관계대명사 that이 이끄는
고13월 응용 　S 　↳ 관계대명사절(that+V ~) 　　　　　V 　　　O	관계대명사절이 수식어(형용사)로
experience.	쓰였다.
~이 있다 / 댐에 관한 몇 가지 사실들 / 알아두어야 할 중요한	
☆ **382** There are / a few things about dams [**that are important to know**].	→ to know는 형용사 important를
고13월 응용 　V 　　　　S 　　↳ 관계대명사절(that+V ~)	수식하는 to부정사이다.
이것들은 / ~이다 / 멋진 행동들 / 훌륭한 자신감을 가르쳐 주는	
383 These / are / fantastic behaviors [**that teach brilliant self-confidence**].	
고13월 응용 　S 　V 　　　C 　　↳ 관계대명사절(that+V ~)	
많은 사람들은 / ~에 부딪힌다 / 장벽들 / 그러한 선택들을 가로막는	
384 Many people / face / barriers [**that prevent such choices**].	
고13월 응용 　S 　　　V 　　O 　↳ 관계대명사절(that+V ~)	
Leopard shark는 / ~이다 / 상어들 중 하나 / 인간에게 위험으로 여겨지지 않는	
385 The leopard sharks / are / among the sharks [**which are not considered as**	→ 주격 관계대명사 which가 이끄는
고16월 응용 　　　　　　　　　전치사의 목적어 ↳ 관계대명사절(which+V ~)	관계대명사절이 수식어(형용사)로
a threat to humans].	쓰였다.

- 소유격 관계대명사 whose가 이끄는 절은 선행사를 수식한다.
- 「whose+명사+V ~」의 형태로 관계대명사가 절 안에서 소유격 대명사 역할을 하며, '(선행사)의 명사가 V하는'으로 해석한다.

		구문 노트 🖊
	의사들은 / 소생시킬 수 있다 / 많은 환자들을 / (그들의) 심장이 멎은 / 여러 기술들로	→ 소유격 관계대명사 whose가 이끄는

386 Doctors / can revive / many patients [**whose hearts have stopped beating**]

고1 9월 응용   S   V   O   ↳ 관계대명사절(whose+명사+V ~)

by various techniques.

구문 노트:
→ 소유격 관계대명사 whose가 이끄는
관계대명사절이 수식어(형용사)로
쓰였다.

연구자들은 / 만들었다 / 몇 가지 비상사태로 보이는 상황을 / (그 상황의) 해결에는 두 그룹 사이의 협력이 필요한

387 The researchers / created / several apparent emergencies [**whose solution**

고1 3월 응용   S   V   O   ↳ 관계대명사절(whose+

required cooperation between the two groups].

명사+V ~)

그는 / ~였다 / 경제 사학자 / (그의) 연구가 경영사 연구에 집중되어 있는

388 He / was / an economic historian [**whose work has centered on the study**

고1 6월 응용   S   V   C   ↳ 관계대명사절(whose+명사+V ~)

of business history].

UNIT 8 / 2 절의 수식어(형용사) 역할 ②

- 목적격 관계대명사 who(m)/which/that이 이끄는 절은 선행사를 수식한다.
- 「who(m)/which/that+S+V~」의 형태로 관계대명사가 절 안에서 목적어 역할을 하며, 'S가 V하는 (선행사)'로 해석한다.

구문 노트 ✏️

가장 큰 실수는 / 대부분의 투자자들이 저지르는 / ~이다 / 손실을 보고 공황 상태에 빠지는 것

389
고1 6월
응용

The biggest mistake [**that most investors make**] is / getting into a panic
　　　　　　　　S　　ↆ 관계대명사절(that+S+V)　　　　V　　　　　　C

over losses.

→ 목적격 관계대명사 that이 이끄는 관계대명사절이 수식어(형용사)로 쓰였다.

→ getting 이하는 동명사구이다.

그 칭찬은 / 그가 받은 / 바꾸어 놓았다 / 그의 일생을

390
고1 6월
응용

The praise [**that he received**] changed / his whole life.
　　S　　ↆ 관계대명사절(that+S+V)　　V　　　　　O

무리를 지은 개미는 / 할 수 있다 / 일을 / 한 마리의 개미가 전혀 할 수 없는

391
고1 3월
응용

Ants in groups / can do / things [**that no single ant can do**].
　　S　　　　　V　　　O ↆ 관계대명사절(that+S+V)

일부 참가자들은 / 서 있었다 / 친한 친구들 옆에 / 그들이 오랫동안 알아 왔던 / 그 활동을 하는 동안

392
고1 9월
응용

Some participants / stood / next to close friends [**whom they had known a**
　　　　　　　　　　　　　　전치사의 목적어 ↆ 관계대명사절(whom+S+V~)

long time / during the exercise].

→ 목적격 관계대명사 whom이 이끄는 관계대명사절이 수식어(형용사)로 쓰였다.

이 이야기는 / ~이다 / 좋은 예 / 전설의 / 원주민들이 만들어낸 / 이해하기 위해서 / 그들 주변의 세계를

393
고1 9월

This story / is / a good example / of a legend [**which native people invented /**
　　　　　　　　　　　　전치사의 목적어 ↆ 관계대명사절(which+S+V~)

to make sense of / the world around them].

→ 목적격 관계대명사 which가 이끄는 관계대명사절이 수식어(형용사)로 쓰였다.

- 목적격 관계대명사 who(m)/which/that은 생략할 수 있고, 「S+V~」의 형태로 목적어가 없는 불완전한 절이 선행사를 수식한다.

생각해 보라 / 가장 유명한 과학자들을 / 당신이 알고 있는

394
고1 3월
응용

Think of / the most famous scientists [**you know**].
　V　　　　　O　　　　　　ↆ 관계대명사절(who(m)[that] 생략)

→ 목적격 관계대명사 who(m)[that]가 생략되었다.

저는 ~입니다 / 유일한 아버지 / 우리 아이들이 가진

☆**395**
고1 3월
응용

I'm / the only father [**my children have**].
S+V　　　C　　ↆ 관계대명사절(that 생략)

→ 목적격 관계대명사 that이 생략되었다. 선행사에 the only가 쓰인 경우에는 that만 쓸 수 있다.

사람들은 / 보통 과장한다 / 시간에 대해 / 그들이 기다렸던

396
고1 9월
응용

People / usually exaggerate / about the time [**they waited**].
　S　　　　V　　　　전치사의 목적어 ↆ 관계대명사절(which[that] 생략)

→ 목적격 관계대명사 which[that]이 생략되었다.

	구문 노트 ✎

수는 / 못의 / 소년이 울타리에 박은 / 점점 줄어들었다

397
고1 9월 응용

The number / of nails [**the boy drove into the fence**] gradually decreased.

전치사의 목적어 ↰ 관계대명사절(which[that] 생략)

광고는 / 숨길 것이다 / 부정적인 측면을 / 회사의 / 그들이 광고하는

398
고1 3월 응용

Ads / will cover up / negative aspects / of the company [**they advertise**].

전치사의 목적어 ↰ 관계대명사절
(which[that] 생략)

- 목적격 관계대명사가 절 안에서 전치사의 목적어 역할을 할 때, 관계대명사절은 「who(m)/which/that+S+V ~ +전치사」의 형태이다.
- 관계대명사 that을 제외하면, 「전치사+관계대명사」의 형태도 가능하다.

생각해 보라 / 모든 사람들을 / 당신의 수업 참여를 좌우하는

399
고1 3월 응용

Just think of / all the people [**upon whom your participation in your class**

V　　　　　O　　↰ 전치사+관계대명사절

depends].

→ 관계대명사절 내 전치사 upon이 관계대명사 whom 앞에 쓰였다.

교사는 / 써서 보냈다 / 긴 답장을 / 그가 그 질문들 중에서 13개를 다룬

400
고1 3월

The teacher / wrote back / a long reply [**in which he dealt with thirteen of**

S　　　　V　　　　O　　↰ 전치사+관계대명사절

the questions].

→ 관계대명사절 내 전치사 in이 목적격 관계대명사 which 앞에 쓰였다.

당신의 새 토스터를 받으려면 / 그저 가져가라 / 당신의 영수증과 고장 난 토스터를 / 판매인에게 / 당신이 그것을

401
고1 3월

To get your new toaster, / simply take / your receipt and the faulty toaster /

구매했던

to the dealer [**from whom you bought it**].

전치사의 목적어 ↰ 전치사+관계대명사절

→ 관계대명사절 내 전치사 from이 목적격 관계대명사 whom 앞에 쓰였다.

초기의 온라인 보도는 / 필요로 했다 / 하나의 중심적인 장소를 / 기자가 자신의 뉴스 기사를 제출할 / 게시를 위해

402
고1 9월 응용

Early online reporting / required / one central place [**to which a reporter**

S　　　　　　　V　　　　O　　↰ 전치사+관계대명사절

would submit his or her news story / for posting].

→ 관계대명사절 내 전치사 to가 목적격 관계대명사 which 앞에 쓰였다.

- 관계부사 when, where, why가 이끄는 절은 각각 시간, 장소, 이유를 나타내는 선행사를 수식한다.
- 「when/where/why+S+V ~」의 형태로 관계부사가 절 안에서 부사 역할을 하며, 'S가 V하는 시간/장소/이유'로 해석한다.

대표 문장 Hike the Valley는 / ~이다 / 하이킹 프로그램 / 매주 토요일 우리가 참가자들을 지역 숲길로 안내하는	**구문 노트** 🖉
403 Hike the Valley / is / a hiking program [**where we guide participants through**	→ 관계부사 where가 이끄는 관계부사
고1 9월 　　　　 S 　　 V 　　 C 　　　　 ↳ 관계부사절(where+S+V ~)	절이 수식어(형용사)로 쓰였다.
local trails every Saturday].	
행사는 / 우리가 사람들이 공연하는 것을 볼 수 있는 / 끌어모은다 / 많은 사람들을	
☆**404** Events [**where we can watch people perform**] attract / many people.	→ 관계부사절 내의 동사 watch는 지각
고1 3월 응용 　 S 　 ↳ 관계부사절(where+S+V ~) 　　　　　　 V 　　　 O	동사로, 목적격보어로 동사원형 또는
	현재분사를 쓴다.
우리는 / 찾고 있다 / 다양화된 팀을 / 구성원들이 서로를 보완해 주는	
405 We / are looking for / a diversified team [**where members complement one**	
고1 3월 응용 　 S 　　 V 　　　　 O 　　　 ↳ 관계부사절(where+S+V ~)	
another].	
~가 있었다 / 수많은 시기 / 식량이 꽤 부족했던	
406 There have been / numerous times [**when food has been rather scarce**].	→ 관계부사 when이 이끄는 관계부사
고1 9월 응용 　　　 V 　　　　　 S 　　 ↳ 관계부사절(when+S+V ~)	절이 수식어(형용사)로 쓰였다.
~이 있다 / 순간들 / 우리가 불시에 내리는 판단이 제공할 수 있는 / 더 나은 수단을 / 세상을 파악하는 데	
407 There are / moments [**when our snap judgments can offer / better means /**	
고1 3월 응용 　　 V 　　 S 　 ↳ 관계부사절(when+S+V ~)	
of making sense of the world].	
이것이 / ~이다 / 이유들 중 하나 / 사람들이 여전히 좋은 영화를 보러 영화관에 가는	
408 This / is / one of the reasons [**why people still go to cinemas for good films**].	→ 관계부사 why가 이끄는 관계부사절
고1 6월 응용 S 　 V 　　 C 　　　 ↳ 관계부사절(why+S+V ~)	이 수식어(형용사)로 쓰였다.
이것이 / ~일지도 모른다 / 이유 중 일부 / 85 퍼센트의 미국인들이 과일과 채소를 충분히 먹지 않는	
409 This / may be / part of the reason [**why 85 percent of Americans do not eat**	
고1 6월 S 　 V 　　　 C 　　　 ↳ 관계부사절(why+S+V ~)	
enough fruits and vegetables].	

- 관계부사 how가 이끄는 절은 방법을 나타내는 선행사 the way를 수식하는데, the way와 how는 함께 쓰지 않는다.
- 「the way/how+S+V ~」 형태로 'S가 V하는 방법'으로 해석한다.

구문 노트 🖊

410
고1 9월
응용

우리는 / 일반화하는 경향이 있다 / 방식에 관해 / 사람들이 행동하는
We / tend to form generalizations / about the way [**people behave**].
　　　　　　　　　　　　　　　전치사의 목적어 ⤸ 관계부사절(how 생략)

→ how가 생략된 관계부사절이 수식어 (형용사)로 쓰였다. the way와 how 는 둘 중 하나만 쓸 수 있다.

411
고1 6월

~가 있다 / 매우 많은 연구 / 방식에 대한 / 매장에서의 '제품 배치'가 당신의 구매 행동에 영향을 미치는
There is / an entire body of research / about the way [**"product placement"**
　　　　　　　　　　　　　　　　전치사의 목적어 ⤸ 관계부사절(how 생략)

in stores influences your buying behavior].

412
고1 3월
응용

그 그래프는 / 보여준다 / 다섯 개 국가에서 사람들이 뉴스 영상을 소비하는 방식을
The graph / shows [**how people in five countries consume news videos**].
　　　　　　　　　　　관계부사절(the way 생략)

→ 관계부사 how 앞에 선행사 the way 가 생략되었다.

413
고1 3월

많은 도시에서 / 차량 공유는 / 강한 영향을 끼쳤다 / 도시 주민들이 이동하는 방법에
In many cities, / car sharing / has made a strong impact / on [**how city residents**
　　　　　　　　　　　　　　　　　　　　　　관계부사절(the way 생략)

travel].

- 일반적인 시간, 장소, 이유를 나타내는 선행사 뒤의 관계부사 when, where, why는 생략할 수 있다.

414
고1 3월

그 이유는 / 태양이 그렇게 보이는 / 그것이 불타고 있기 때문이다
The reason [**it looks that way**] is [that the sun is on fire].
　　　　S 　⤸ 관계부사절(why 생략) 　V　　　　　C

→ it 앞에 관계부사 why가 생략되었다.
→ that 이하는 보어 역할을 하는 명사 절이다.

415
고1 6월
응용

개는 / 내던진다 / 자기 몸의 앞부분을 / 방향으로 / 자기가 가고 싶어 하는
A dog / throws / the front part of his body / in the direction [**he wants to go**].
　　　　　　　　　　　　　　　　　　전치사의 목적어 ⤸ 관계부사절(where 생략)

→ he 앞에 관계부사 where가 생략되 었다.

- 관계대명사 who와 which가 이끄는 절이 콤마 뒤에 나오면, 선행사에 관한 추가적인 내용을 보충 설명하는 역할을 한다.
- 「콤마(,)+관계대명사」는 「접속사(and, but 등)+(대)명사」로 바꿔 쓸 수 있고, which는 명사(구)뿐만 아니라 앞 절 전체를 보충 설명하기도 한다.

구문 노트 🖊

대표 문장 아시아로 가는 비행에서 / 나는 / 만났다 / Debbie를 / (그런데) 그녀는 기장으로부터 환영을 받았다	
416 On a flight to Asia, / I / met / Debbie, [**who was welcomed by the pilot**].	→ 관계대명사 who가 이끄는 절이 콤마
고1 3월 응용 M S V 선행사(O) 관계대명사절(who+V ~)	앞의 선행사를 보충 설명한다.
그 경비병은 / 데리고 갔다 / 그를 / 그 부자에게 / (그리고) 그 부자는 그를 호되게 벌하기로 결심했다	
417 The guard / took / him / to the rich man, [**who decided to punish him severely**].	
고1 3월 선행사(전치사의 목적어) 관계대명사절(who+V ~)	
Judith Rich Harris는 / (그런데) 그는 발달 심리학자이다 / 주장한다 / 세 가지 주요한 힘이 우리의 발달을 형성한다고	
☆ **418** Judith Rich Harris, [**who is a developmental psychologist**], argues [that three	→ 접속사 that 이하는 목적어 역할을
고1 6월 응용 선행사(S) 관계대명사절(who+V ~) V O	하는 명사절이다.
main forces shape our development].	
문어체는 / ~이다 / 형식적 / (그래서) 이것은 독자들이 주의를 잃게 만든다	
419 Written language / is / formal, [**which makes the readers lose attention**].	→ 관계대명사 which가 이끄는 절이
고1 6월 응용 선행사(절) 관계대명사절(which+V ~)	앞 절 전체를 보충 설명한다.
플라스틱은 / 물에 떠다니는 경향이 있다 / (그래서) 이것은 플라스틱이 해류를 따라 돌아다니게 한다 / 수천 마일을	
420 Plastic / tends to float, [**which allows it to travel in ocean currents** / **for**	→ 관계대명사절 내의 동사 allow는
고1 6월 응용 선행사(절) 관계대명사절(which+V ~)	목적격 보어로 to부정사를 쓴다.
thousands of miles].	
건물은 / 둘러싸여 있다 / 공기로 / (그래서) 그것이 떨어지는 구슬에 마찰을 가한다 / 그리고 속도를 떨어뜨린다	
☆ **421** The building / is surrounded / by air, [**which applies friction to the falling**	→ 현재분사 falling이 명사 marble을
고1 9월 응용 선행사(절) 관계대명사절(which+V ~)	앞에서 수식하고 있다.
marble / **and slows it down**].	
텍스트에 근거한 이러한 질문들은 / 제공해 준다 / 학생들에게 / 다시 읽어야 하는 목적을 / (그래서) 이것은	
422 These text-based questions / provide / students / with a purpose for rereading,	
고1 3월 응용 선행사(절)	
중요하다 / 복잡한 텍스트를 이해하는 데 있어	
[**which is critical** / **for understanding complex texts**].	
관계대명사절(which+V ~)	

- 관계부사 when과 where가 이끄는 절이 콤마 뒤에 나오면, 선행사에 관한 추가적인 내용을 보충 설명하는 역할을 한다.
- 「콤마(,)+관계부사」는 「접속사(and, but 등)+부사(구)」로 바꿔 쓸 수 있다.

			구문 노트 ✏
	그는 / 입대했다 / 미국 해병대에 / (그리고) 그곳에서 그는 한국 전쟁 장면을 촬영했다		
423	He / joined / the United States Marine Corps, [where he captured scenes		→ 관계부사 where가 이끄는 절이 콤마
고1 9월 응용	S　　V　　　　　선행사(O)　　　　　관계부사절(where+S+V ~)		앞의 선행사를 보충 설명한다.
	from the Korean War].		

이것은 / 특히 해당한다 / 공포물 장르에 / (그리고) 이런 장르에서 관객들은 내내 이야기에 매료된다

424　This / is particularly true / of horror genres, [where audiences are kept on
고1 3월
응용　　　　　　　　　　　　　선행사(전치사의 목적어)　관계부사절(where+S+V ~)

the edge of their seats throughout].

그는 / 키웠다 / 사진에 대한 열정을 / 십 대 시절에 / (그리고) 그때 그는 사진 기자가 되었다 / 자신의 고등학교 신문의

425　He / developed / his passion for photography / in his teens, [when he　　　　→ 관계부사 when이 이끄는 절이 콤마
고1 9월　　　　　　　　　　　　　　　　　　　　선행사(전치사의 목적어)　관계부사절　　　앞의 선행사를 보충 설명한다.

became a staff photographer / for his high school paper].

(when+S+V ~)

- 접속사 when, while, since 등이 이끄는 절은 시간의 부사절로, 문장 앞이나 뒤에서 시간적 정보를 나타내는 수식어 역할을 한다.
  - when: ~할 때
  - while: ~하는 동안
  - since: ~한 이래로
  - as: ~할 때/~하면서
  - until: ~할 때까지
  - before: ~하기 전에
  - after: ~한 후에
  - as soon as: ~하자마자

	구문 노트 ✏️

대표 문장
화학에 대한 그녀의 흥미는 / 시작되었다 / 그녀가 단지 10살이었을 때

426
고1 9월
Her interest in chemistry / started [**when she was just ten years old**].
　　　　S　　　　　　　　V　　　　　　시간의 부사절(when+S+V ~)

→ 접속사 when이 이끄는 시간의 부사절이 수식어(부사)로 쓰였다.

Mary가 방에서 그 인형을 산책시키는 동안 / 그녀의 시선이 / ~으로 향했다 / 책 한 권

427
고1 3월
응용
[**While Mary walked the doll around the room**], her eyes / fell upon / a book.
　　시간의 부사절(While+S+V ~)　　　　　S　　　　V

→ 접속사 while이 이끄는 시간의 부사절이 수식어(부사)로 쓰였다.

아이슬란드어의 변화 속도는 / 항상 ~했다 / 느린 / 아이슬란드의 역사가 시작된 이후로 줄곧

☆428
고1 3월
응용
The rate of change in Icelandic / has always been / slow, [**ever since Icelandic**
　　　　　S　　　　　　　　　　V　　　　　　　　시간의 부사절(since+S+V ~)

history began].

→ 접속사 since가 이끄는 시간의 부사절이 수식어(부사)로 쓰였다. 부사 ever는 접속사 since를 수식하여 현재완료의 '계속'의 의미를 강조한다.

어린 아이들은 / 표출한다 / 모든 종류의 감정을 / 그들이 음악과 상호 작용할 때

429
고1 6월
응용
Young children / let out / all sorts of emotions [**as they interact with music**].
　　S　　　　　V　　　　　　　　　　　　시간의 부사절(as+S+V ~)

→ 접속사 as가 이끄는 시간의 부사절이 수식어(부사)로 쓰였다.

행동 포착에서 / 당신은 / 우선 기다려야 한다 / 당신의 개가 그 행동을 할 때까지

430
고1 6월
응용
In behavior capture, / you / first have to wait [**until your dog performs the**
　　　　　　　　S　　　V　　　　　시간의 부사절(until+S+V ~)

behavior].

→ 접속사 until이 이끄는 시간의 부사절이 수식어(부사)로 쓰였다.

당신은 / 줘야 한다 / 그 사람에게 / 다시 한번 기회를 / 당신이 그들을 낙인찍기 전에

431
고1 9월
응용
You / should give / someone / a second chance [**before you label them**].
S　　　V　　　　　　　　　　　　시간의 부사절(before+S+V ~)

→ 접속사 before가 이끄는 시간의 부사절이 수식어(부사)로 쓰였다.

고아가 된 후에 / Anton Romberg가 / 돌보았다 / 그를

432
고1 3월
응용
[**After he was orphaned**], Anton Romberg / took care of / him.
시간의 부사절(After+S+V ~)　　　S　　　　　　V

→ 접속사 after가 이끄는 시간의 부사절이 수식어(부사)로 쓰였다.

그 백색광이 프리즘에 부딪치자마자 / 그것은 / 분리되었다 / 친숙한 무지개색으로

433
고1 6월
[**As soon as the white ray hit the prism**], it / separated / into the familiar
시간의 부사절(As soon as+S+V ~)　　　S　　　V

colors of the rainbow.

→ 접속사 as soon as가 이끄는 시간의 부사절이 수식어(부사)로 쓰였다.

- 접속사 if, unless 등이 이끄는 절은 조건의 부사절로, 문장 앞이나 뒤에서 조건의 의미를 나타내는 수식어 역할을 한다.
  - if: ~한다면   - unless[if ~ not]: ~하지 않는다면   - in case (that): ~인 경우에 대비해서

	구문 노트 ✏️
가족은 / 강해지지 않는다 / 부모가 가족에게 소중한 시간을 투자하지 않으면 **434** Families / don't grow strong [**unless parents invest precious time in them**]. 고1 3월　　S　　　　V　　　　　　　　조건의 부사절(unless+S+V ~)	→ 접속사 unless가 이끄는 조건의 부사절이 수식어(부사)로 쓰였다.
거절당할 위험을 무릅쓰지 않는다면 / 당신은 / 절대 얻을 수 없다 / 친구나 파트너를 ☆**435** [**If you never take the risk of being rejected**], you / can never have / a 고1 3월　　　　조건의 부사절(If+S+never+V ~)　　　　　　S　　　V friend or partner.	→ 접속사 if가 이끄는 조건의 부사절이 수식어(부사)로 쓰였다. 부정어 never가 있으므로 Unless you take ~로 바꿔 쓸 수 있다.
어떤 사람이 긍정적인 사고방식으로 하루를 시작한다면 / 그 사람은 / ~이다 / 긍정적인 하루를 보낼 가능성이 더 높은 **436** [**If a person starts the day with a positive mindset**], that person / is / more 고1 9월　　　　조건의 부사절(If+S+V ~)　　　　　　　　S　　　V likely to have a positive day.	
그 성자는 / 말한다 / 개구리에게 / 조용히 하라고 / 개구리가 자신의 기도를 방해할 경우를 대비하여 **437** The saint / tells / the frog / to be quiet [**in case it disturbs his prayers**]. 고1 3월 응용　　S　　V　　　　　　　　조건의 부사절(in case (that)+S+V ~)	→ 접속사 in case (that)가 이끄는 조건의 부사절이 수식어(부사)로 쓰였다.

- 시간과 조건의 부사절에서는 현재시제가 미래를 의미한다.

그 책상이 도착하자마자 / 우리는 / 전화할 것이다 / 당신에게 / 바로 **438** [**As soon as the desk arrives**], we / will telephone / you / immediately. 고1 9월 응용　　시간의 부사절(As soon as+S+V ~)　　S　　　V	→ 시간과 조건의 부사절에서는 현재시제가 미래 시제를 대신한다.
당신이 발표를 두려워한다면 / 불안을 피하려고 애쓰는 것은 / 감소시킬 것이다 / 당신의 자신감을 ☆**439** [**If you are afraid of a presentation**], trying to avoid your anxiety / will reduce / 고1 6월 응용　　　　조건의 부사절(If+S+V ~)　　　　　　　　　S　　　　　　　V your confidence.	→ trying ~ anxiety는 동명사구이다. 「try+to부정사」는 '~하려고 애쓰다'로 해석한다.

• 접속사 so that, in order that이 이끄는 절은 목적의 부사절로, 문장 속에서 목적의 의미(~하기 위해서/~하도록)를 나타내는 수식어 역할을 한다.

공유해라 / 당신이 좋아하는 것들을 / 친구들과 / 모든 사람이 크게 웃을 수 있도록	**구문 노트**
440 고1 3월 응용 Share / your favorites / with your friends [**so that everyone can get a good**	→ 접속사 so that이 이끄는 목적의 부
V 목적의 부사절(so that+S+V ~)	사절이 수식어(부사)로 쓰였다.
laugh].	→ 주어가 생략된 명령문이다.

어떤 박테리아는 / 만들어낸다 / 산소를 / 우리가 지구에서 숨 쉴 수 있도록	
441 고1 9월 응용 Some bacteria / produce / oxygen [**so that we can breathe on Earth**].	
S V 목적의 부사절(so that+S+V ~)	

우리는 각자 / 필요하다 / 사람들이 / 우리를 격려해 주는 / 우리가 우리의 목표를 향해 앞으로 나아가기 위해	
☆**442** 고1 3월 응용 Each of us / needs / people [who encourage us] [**so that we can move forward**	→ who ~ us는 people을 수식하는 주격
S V 목적의 부사절(so that+S+V ~)	관계대명사절이다.
toward our goals].	

• 접속사 although, (even) though 등이 이끄는 절은 '비록 ~이지만'의 의미를 나타내는 양보의 부사절이다.

비록 많은 작은 사업체가 웹사이트를 가지고 있지만 / 그들은 / 여유가 없다 / 적극적인 온라인 캠페인을 할	
443 고1 3월 응용 [**Although many small businesses have websites**], they / can't afford /	→ 접속사 although가 이끄는 양보의
양보의 부사절(Although+S+V ~) S V	부사절이 수식어(부사)로 쓰였다.
aggressive online campaigns.	

비록 그녀는 자기 자녀는 없었지만 / 그녀는 / 사랑했다 / 아이들을	
444 고1 9월 응용 [**Though she never had children of her own**], she / loved / children.	→ 접속사 though가 이끄는 양보의 부
양보의 부사절(Though+S+V ~) S V	사절이 수식어(부사)로 쓰였다.

비록 Fred는 문화에 관한 숙제를 했지만 / 그는 / 저질렀다 / 한 가지 특정한 실수를	
445 고1 3월 응용 [**Even though Fred had done his cultural homework**], he / made / one	→ 접속사 even though가 이끄는 양보
양보의 부사절(Even though+S+V ~) S V	의 부사절이 수식어(부사)로 쓰였다.
particular error.	

• 접속사 while이 이끄는 절은 '~인 반면에'의 의미를 나타내는 대조의 부사절이다.

	구문 노트 ✏
공상은 이상화된 미래를 상상하는 것을 포함하는 반면에 / 기대는 / 근거한다 / 한 사람의 과거 경험에	→ 접속사 while이 이끄는 대조의 부사

446
고1 6월
응용

[While fantasy involves imagining an idealized future], expectation / is
　　　　　　대조의 부사절(While+S+V ~)　　　　　　　　　　　　　　　　S　　　　V

based / on a person's past experiences.

Istanbul을 찾은 관광객 수는 꾸준히 증가한 반면에 / Antalya는 / 받았다 / 적은 수의 관광객을 / 전년도에 비해

☆447
고1 9월
응용

[While the number of tourists to Istanbul increased steadily], Antalya /
　　　　　　대조의 부사절(While+S+V ~)　　　　　　　　　　　　　　　　　　S

received / less tourists / compared to the previous year.
　　V

네 가지 요소 가운데 / '줄거리'는 / 보였다 / 가장 작은 차이를 / '온라인 평점'은 가장 큰 차이를 보인 반면에 /

448
고1 6월

Among the four factors, / "Storyline" / had / the smallest difference [while
　　　　　　　　　　　　　　　S　　　　　V

2013년과 2015년 사이에

"Online Rating" showed the largest difference / between 2013 and 2015].
　　　　　　대조의 부사절(while+S+V ~)

- 접속사 because, since, as 등이 이끄는 절은 원인의 부사절로, 문장 속에서 이유, 원인의 의미(~이기 때문에)를 나타내는 수식어 역할을 한다.

		구문 노트 ✏
	바닷속에 있는 대부분의 플라스틱 조각들은 매우 작기 때문에 / ~이 없다 / 바다를 청소할 실질적인 방법	
449 고1 6월	[Because most of the plastic particles in the ocean are so small], there 　　　　　　원인의 부사절(Because+S+V ~)	→ 접속사 because가 이끄는 원인의 부사절이 수식어(부사)로 쓰였다.
	is no / practical way to clean up the ocean. 　V　　　　S	→ to clean 이하는 practical way를 수식하는 형용사구이다.
	도서관은 / 제공해야 한다 / 조용함을 / 많은 우리의 학생들이 조용한 학습 환경을 원하기 때문에	
450 고1 6월 응용	Libraries / must provide / quietness, [because many of our students want 　S　　　V　　　　　　　　　　원인의 부사절(because+S+V ~)	
	a quiet study environment].	
	사람의 소음도 / 또한 증가했다 / 집단 활동과 (교사의) 설명이 학습 과정의 필수적인 부분들이기 때문에	
451 고1 6월	People noise / has also increased, [because group work and instruction 　S　　　　V　　　　　　　　원인의 부사절(because+S+V ~)	
	are essential parts of the learning process].	
	그 토스터는 1년의 품질 보증 기간이 있기 때문에 / 우리 회사는 / ~해 드리겠습니다 / 기꺼이 귀하의 고장 난	
452 고1 3월	[Since the toaster has a year's warranty], our company / is / happy to 　　　원인의 부사절(Since+S+V ~)　　　　　S　　　V	→ 접속사 since가 이끄는 원인의 부사절이 수식어(부사)로 쓰였다.
	토스터를 교환 / 새 토스터로 replace your faulty toaster / with a new toaster.	
	내가 운전하는 것을 매우 좋아했기 때문에 / 우리는 / 옮겨갔다 / 자동차에 대한 이야기로	
☆ 453 고1 6월 응용	[As I loved driving very much], we / moved / onto talking about cars. 　원인의 부사절(As+S+V ~)　　S　　V	→ 접속사 as가 이끄는 원인의 부사절이 수식어(부사)로 쓰였다. → 부사절 내의 동사 love는 목적어로 동명사와 to부정사를 모두 쓴다. → 동명사 talking 이하는 전치사 onto의 목적어이다.

• 접속사 so/such ~ that 등이 이끄는 절은 결과의 부사절로, 문장 속에서 결과의 의미를 나타내는 수식어 역할을 한다.
  - so + 형용사/부사 ~ that: 아주 ~해서 …하다   - such + (a/an) + (형용사) + 명사 ~ that: 아주 ~해서 …하다

구문 노트 ✏️

그녀는 너무 기진맥진해서 / 다음 경주의 막판에는 꼴찌를 하고 있었다

454 She was **so** exhausted [that she was in last place toward the end of her
고1 3월 응용   원인(so+형용사)   결과의 부사절(that+S+V ~)

next race].

→ 접속사 so ~ that이 이끄는 결과의 부사절이 수식어(부사)로 쓰였다.

그의 성질은 아주 까다로워서 / 아무도 그의 친구가 되기를 원하지 않았다

455 His temper was **so** difficult [that nobody wanted to be his friend].
고1 9월 응용   원인(so+형용사)   결과의 부사절(that+S+V ~)

그녀는 너무 자주 넘어져서 / 그녀의 발목을 삐었다

456 She had fallen **so** often [that she sprained her ankle].
고1 3월 응용   원인(so+부사)   결과의 부사절(that+S+V ~)

당신은 가장 친한 친구를 아주 많이 믿어서 / 걱정하지 않을 것이다 / 그 친구가 당신을 너무 잘 알고 있다는 것에 대해

★ **457** You trust your best friend **so** much [that you won't worry / about him
고1 3월 응용   원인(so+부사)   결과의 부사절(that+S+V ~)

knowing you too well].

→ knowing 이하는 전치사 about의 목적어이며, him은 동명사 knowing의 의미상 주어이다.

그는 아주 대단한 사람이어서 / 사자는 그를 죽이지 않았다

458 He was **such** a great person [that the lion didn't kill him].
고1 3월 응용   원인(such+a+형용사+명사)   결과의 부사절(that+S+V ~)

→ 접속사 such ~ that이 이끄는 결과의 부사절이 수식어(부사)로 쓰였다.

> • 시간, 날짜, 요일, 날씨, 계절, 거리, 명암 등을 나타내는 문장의 주어로 쓰인 It은 비인칭 주어이고, 해석하지 않는다.

대표 문장	× / ~였다 / 나의 학기 첫날 / St. Roma 고등학교에서의	구문 노트 🖊
459 고1 3월	**It** / was / **my first day of school** / at St. Roma High School. S(비인칭 주어)　　　　날(day)	→ 날(day)을 나타내는 문장이다.

	× / 걸린다 / 20분 / 차로 / 시청에서	
460 고1 6월	**It** / takes / **20 minutes** / by car / from City Hall. S(비인칭주어)　　　　시간	→ 시간(minute)을 나타내는 문장이다.

	× / ~이었다 / 너무 더운 / 심지어 홑이불 한 장조차	
461 고1 9월	**It** / was / **too hot** / even for a sheet. S(비인칭주어)　　날씨	→ 날씨(hot)를 나타내는 문장이다.

	× / ~였었다 / 덥고 햇볕이 강한 날 / 그리고 공기는 / ~였다 / 무겁고 고요한	
462 고1 6월	**It** / had been / **a hot sunny day** / and the air / was / heavy and still. S₁(비인칭주어)　　　　날씨+날(day)　　　　　　　　S₂	→ 날씨(hot sunny)와 날(day)을 동시에 나타내는 문장이다. → 「had+p.p.」는 과거완료이다.

> • It seems[appears] that ~은 '~인 것 같다'라는 뜻의 표현으로, 이때의 It도 비인칭 주어이다.

	~인 것 같다 / 당신은 걸어가는 게 좋은 / 그 가게로 / 당신의 건강을 향상시키기 위해	
463 고1 6월	**It seems** [**that** you had better walk / to the shop / to improve your health]. It seems　that ~	→ had better는 '~하는 게 좋다'라는 의미의 조동사 표현이다.

	~처럼 보일지도 모른다 / 당신의 아이의 지능과 재능을 칭찬하는 것이 / 그의 자존감을 북돋우고 / 그에게 동기를	
464 고1 9월	**It might seem** [**that** praising your child's intelligence or talent / would boost It might seem　that ~	→ that 뒤의 praising ~ talent는 동명사구 주어이다.

부여하는 것(처럼)

his self-esteem / and motivate him].

- It is[was] ~ that ... 강조 구문은 '…하는 것은 바로 ~이다[이었다]'라는 뜻의 표현으로, 이때의 It은 별도로 해석하지 않는다.
- 원래 문장에서 동사를 제외한 어구(주어, 목적어, 부사 등)가 강조 어구 자리에, that 뒤에는 나머지 어구가 오기 때문에 that 뒤는 불완전한 구조이다. (단, 부사를 강조할 때는 완전한 구조)

		구문 노트 ✏
	궁극적으로, / 바로 ~이다 / 그 과정에 대한 당신의 전념 / 결정짓는 것은 / 당신의 발전을	

465
고1 6월

Ultimately,/ **it is** / your commitment to the process [**that** will determine /
　　　　　　　it is　　　　　　　강조 어구(S)　　　　　　　　that　　나머지 어구(V+O)

your progress].

→ 강조 어구가 주어이므로 that 뒤에 주어가 없다.

바로 ~ 이었다 / 그의 자신감 / 가능하게 한 것은 / 그가 / 무엇이든 성취하도록 / 그가 추구하는 것

466
고1 6월
응용

It was / his self-confidence [**that** enabled / him / to achieve anything
　it was　　　　강조 어구(S)　　　that　　　나머지 어구(V+O+C ~)

〈he went after〉].

→ he went after는 anything을 수식하는 관계대명사절이다.

바로 ~이다 / 관용 / 보장하는 것은 / 다양성을 / 세상을 매우 흥미롭게 만드는

467
고1 9월

It is / tolerance [**that** protects / the diversity 〈which makes the world so
　It is　　강조 어구(S)　　that　　　나머지 어구(V+O ~)

exciting〉].

→ which 이하는 the diversity를 수식하는 관계대명사절이다.

바로 ~였다 / Newton이 / 놓았을 때 / 두 번째 프리즘을 / 스펙트럼의 경로에 / 그가 새로운 것을 발견한 것은

☆ **468**
고1 6월

It was [only when Newton / placed / a second prism / in the path of the
　it was　　　　　　　　　　　강조 어구(M)

spectrum] [**that** he found something new].
　　　　　　　that　　나머지 어구(S+V+O)

→ 강조 어구가 부사절이므로 that 뒤가 완전한 구조이다.

- It[it]이 주어인 문장 뒤에 to부정사가 쓰이면, It[it]은 가주어이고 to부정사구가 진주어이다.
- to부정사 앞에 「for/of+목적격」 형태로 의미상 주어가 오면, 이를 주어처럼 해석한다.

		구문 노트 ✏
대표 문장	여러분의 노력에도 불구하고, / × / ~이다 / 우리 시설의 수용 능력을 넘어선 / 특별한 도움이 필요한 동물들을	

469
고1 9월
Despite your efforts, / it / is / beyond our facility's capacity ⟨to care for
　　　　　　　　　　　S(가주어)　is　　　　　　　　　　　　　　　　　　S'(진주어: to부정사구)

→ 가주어 it은 해석하지 않고, 진주어
to부정사구를 주어로 해석한다.

돌보는 것은
animals with special needs⟩.

이러한 각각의 특성에 있어, / × / ~이다 / 최상 / 부족과 과잉 둘 다를 피하는 것이
470
고1 6월
For each of these traits, / it / is / best ⟨**to avoid both deficiency and excess**⟩.
　　　　　　　　　　　　S(가주어)　　　　　　　S'(진주어: to부정사구)

× / ~일 수 있다 / 힘든 / 공부에 전념하는 것은 / 마음을 산만하게 하는 것들이 너무 많을 때
471
고1 3월
It / can be / tough ⟨**to settle down to study**⟩ when there are so many distractions.
S(가주어)　　　　S'(진주어: to부정사구)

→ when ~ distractions는 시간의 부
사절이다.

× / ~이다 / 중요한 / 연사가 / 자신의 원고를 암기하는 것이 / 무대 불안을 줄이기 위해
☆472
고1 3월
It / is / important / for the speaker ⟨**to memorize his or her script** / **to reduce**
S(가주어)　　　　　　　　　　의미상 주어　　　　　　　S'(진주어: to부정사구)

→ for the speaker는 의미상 주어이다.
→ to reduce ~는 목적을 나타내는 부
사적 용법의 to부정사이다.

onstage anxiety⟩.

× / 기분이 ~하다 / 좋은 / 누구든 / 긍정적인 말을 듣는 것은
☆473
고1 9월
응용
It / feels / good / for someone ⟨**to hear positive comments**⟩.
S(가주어)　　　　　　　의미상 주어　　　　S'(진주어: to부정사구)

→ for someone은 의미상 주어이다.

- It[it]이 주어인 문장 뒤에 that절이 쓰이면, It[it]은 가주어이고 that절이 진주어이다.

× / ~이다 / 놀라운 / 소음에의 지속적인 노출이 / 아이들의 학업 성취에 관계가 있다는 것은
474
고1 3월
응용
It / is / surprising [**that constant exposure to noise** / **is related to children's**
S(가주어)　　　　　　　　　　S'(진주어: that절(that+S+V ~))

→ 가주어 it은 해석하지 않고, 진주어
that절을 주어로 해석한다.

academic achievement].

시간이 흐르면서, / × / ~해졌다 / 명확한 / 그가 / 잘할 수 없다는 것이 / 둘 다
475
고1 3월
Over time, / it / became / clear [**that he** / **couldn't do a good job** / **at both**].
　　　　　　　S(가주어)　　　　　　　　　S'(진주어: that절(that+S+V ~))

	구문 노트 ✏️

당신도 알다시피, / × / ~이다 / 우리 회사의 정책 / 모든 신입 사원들이 / 얻어야 하는 것이 / 경험을 / 모든 부서에서

476 As you know, / **it** / is / our company's policy [**that all new employees / must**

고1 6월   S(가주어)   S'(진주어: that절(that+S+V ~))

gain / **experience** / **in all departments**].

× / 흔히 믿어진다 / 셰익스피어는 / 당대 대부분의 극작가처럼 / 늘 혼자 작품을 썼던 것은 아니라고

477 **It** / is often believed [**that Shakespeare, / like most playwrights of his period, /** → like ~ period는 삽입구이다.

고1 3월 응용   S(가주어)   S'(진주어: that절(that+S+V ~))

did not always write alone].

- 가목적어 it은 목적어 자리에 온 어구 대신 사용하는 뜻이 없는 목적어로, 5형식 문장에서 많이 나타난다.
- 문장의 뒤에 있는 to부정사구나 that절이 진목적어이며, 이를 목적어로 해석한다.

일부 아프리카 국가들은 / 어려움을 겪고 있다 / 자국민들을 먹여 살리는 것 / 또는 안전한 식수를 공급하는 것에

478 Some African countries / find **it** difficult ⟨**to feed their own people** / **or** → find의 목적어로 가목적어 it이 쓰

고1 6월 응용   O(가목적어)   O'(진목적어: to부정사구)   였다.

provide safe drinking water⟩.
   (to)

범주에 의한 배열은 / 만든다 / × / 쉽게 / 당신이 / 그 가게의 배치를 기억하는 것을

479 The arrangement by category / makes / **it** / easy / for you ⟨**to memorize the**

고1 3월 응용   O(가목적어)   의미상 주어

store's layout⟩.
O'(진목적어: to부정사구)

산책로는 / 금이 가 있다 / 그리고 돌멩이들과 파편들이 널려 있다 / 만드는 / × / 불가능하게 / 그녀의 휠체어를

★480 The paths / are cracked / and littered with rocks and debris [**that make** / **it** / → 관계사절 내에 가목적어 it이 쓰였

고1 9월 응용   O(가목적어)   다.

타는 것을 / 여기저기에서

impossible ⟨**to roll her wheelchair** / **from place to place**⟩].
              O'(진목적어: to부정사구)

문어체는 / ~이다 / 더 복잡한 / 그리고 이것은 만든다 / 더욱 수고롭게 / 읽는 것을

481 Written language / is / more complex, [**which makes** / **it** / more work / **to** → 계속적 용법의 관계사절 내에 가목

고1 6월   O(가목적어)   적어 it이 쓰였다.

read].
O'(진목적어: to부정사구)

UNIT 9 / 3 [구] 비교구문 - 원급

- 「as+형용사/부사 원급+as」는 '~만큼 …한/…하게'라는 의미의 원급 비교 표현으로, 두 비교 대상은 형태가 같아야 한다.
- 부정형은 「not+so[as]+형용사/부사 원급+as」 형태이고 '~만큼 …하지 않은/…하지 않게'로 해석한다.

		구문 노트 ✏
대표 문장 그것은 / ~였다 / ~만큼 어려운 / 첫 번째 도전(만큼) / 또한		

482 It / was / **as difficult as** / the first challenge, / too.
고1 3월   A   as+원급+as   B

→ It은 대명사 주어이다.

그는 돌아서서 사라졌다 / ~만큼 빠르게 / 그가 왔던(만큼)

☆**483** He turned and disappeared / **as quickly as** / he had come.
고1 6월 응용   A   as+원급+as   B

→ 「S+V」로 구성된 두 개의 절이 비교 대상이다.

그녀는 / 만났다 / 한 아름다운 여자를 / 드레스를 입은 / ~만큼 하얀 / 눈(만큼)

484 She / met / a beautiful woman [who wore a dress / **as white as** / snow].
고1 6월 응용   A   as+원급+as   B

→ 관계사절 내에 원급 비교 표현이 쓰였다.

대중교통에의 접근성은 / ~만큼 인기 있지 않았다 / 무료 조식(만큼) / 출장 여행자들에게

☆**485** Accessibility to mass transportation / is **not as popular as** / free breakfast /
고1 9월   A   not+as+원급+as   B

for business travelers.

- 「as+원급+as possible」과 「as+원급+as+S+can[could]」은 '가능한 한 ~한/~하게'라는 의미의 원급 비교 표현이다.

그들은 / 먹는다 / 가능한 한 많이 / 그들이 할 수 있는 동안에

486 They / eat / **as much as possible** / while they can.
고1 6월 응용   as+원급+as possible

→ as much as possible은 as much as they can으로 바꿔 쓸 수 있다.

나는 / 알게 되었다 / 판매자가 / 매우 관심이 있다는 것을 / 거래를 매듭짓는 것에 / 가능한 한 빨리

487 I / discovered [that the seller / was very interested / in closing the deal / **as**
고1 3월 응용

soon as possible].
       as+원급+as possible

→ discovered의 목적어로 쓰인 that절 내에 원급 비교 표현이 쓰였다.

그는 / 달렸다 / 가능한 한 빨리 / 그리고 자신을 내던졌다 / 공중으로

488 He / ran / **as fast as he could** / and launched himself / into the air.
고1 9월   as+원급+as+S+could

→ as fast as he could는 as fast as possible로 바꿔 쓸 수 있다.

· 「배수 표현(twice, three times, …)+as+원급+as」는 '~보다 배 …한/…하게'라는 의미의 원급 비교 표현이다.

| | | 구문 노트 ✏ |

2012년에 / 6~8세 연령대의 아이들의 비율은 / ~였다 / ~보다 두 배 많은 / 15~17세 연령대의 아이들의

489
고1 9월
In 2012, / the percentage of the 6-8 age group / was **twice as large as** / that
　　　　　　　　　A　　　　　　　　　　　　　　　배수 표현+as+원급+as

→ that은 the percentage를 가리킨다.

그것(비율)
of the 15-17 age group.
　　　B

건강 과학 발명 분야에서, / 여성 응답자의 비율은 / ~였다 / ~보다 2배 높은 / 남성 응답자의 그것(비율)

490
고1 9월
For health science invention, / the percentage of female respondents / was /
　　　　　　　　　　　　　　　　A

→ that은 the percentage를 가리킨다.

twice as high as / that of male respondents.
배수 표현+as+원급+as　　　　B

2파운드의 고기를 생산하는 것은 / 필요하다 / ~보다 약 5배에서 10배 많은 물이 / 2파운드의 채소를 생산하는 것

☆**491**
고1 3월
응용
To produce two pounds of meat / requires / **about 5 to 10 times as much**
　　　　　　A　　　　　　　　　　　　　배수 표현+as+원급+as

→ to부정사구가 주어이자 비교 대상
이다.

water as / to produce two pounds of vegetables.
　　　　　B

- 「형용사/부사 비교급+than」은 '~보다 더 …한/…하게'라는 의미의 비교급 표현으로 두 대상의 정도 차이를 나타낸다.

대표 문장	2011년에, / 휴대용 기기를 이용한 인터넷 사용 시간은 / ~였다 / ~보다 더 짧은 / 데스크톱 컴퓨터나 랩톱컴퓨터를	구문 노트 ✏

492
고13월

In 2011, / Internet usage time by mobiles / was / **shorter than** / that by desktops
　　　　　　　　A　　　　　　　　　　　　　　비교급+than　　　　　B

→ that은 Internet usage time을 가리킨다.

이용한 그것(보다)
or laptops.

2014년에 잡지를 이용한 영국 성인의 비율은 / ~였다 / ~보다 더 낮은 / 2013년의 그것(보다)

493
고13월
응용

The percentage of UK adults using magazines in 2014 / was / **lower than** /
　　　　　　　　　　　　A　　　　　　　　　　　　　　　　　　　　비교급+than

that in 2013.
　B

→ that은 the percentage ~ magazines를 가리킨다.

다른 사람들의 행동들은 / 종종 목소리를 낸다 / ~보다 더 큰 / 그들의 말(보다)

494
고19월

The actions of others / often speak volumes / **louder than** / their words.
　　　　A　　　　　　　　　　　　　　　　　　비교급+than　　　B

문자 채팅은 / 필요로 했다 / 더 적은 수고와 집중을 / 그리고 ~였다 / ~보다 더 재미있는 / 음성 채팅(보다)

495
고13월
응용

Text chat / required / **less effort and attention**, / and was / **more enjoyable**
　A　　　　　　　　　　　비교급₁　　　　　　　　　　　　　　　비교급₂+than

than / voice chat.
　　　　B

- much, still, (by) far, even, a lot 등은 비교급 앞에 쓰여 '훨씬'의 의미로 비교급을 강조한다.

또래들의 영향은 / 그녀는 주장한다 / ~이다 / ~보다 훨씬 더 강한 / 부모의 그것(보다)

496
고16월

The influence of peers, / she argues, / is / **much stronger than** / that of
　　　　A　　　　　　　　　　　　　　　　　비교급 강조　비교급+than　　B

parents.

→ that은 the influence를 가리킨다.

부화한 후에, / 닭은 / 분주하게 쪼아 먹는다 / 자신의 먹이를 / ~보다 훨씬 더 빨리 / 까마귀(보다)

497
고13월
응용

After hatching, / chickens / peck busily / for their own food / **much faster**
　　　　　　　　　　　　　　　　A　　　　　　　　　　　　　비교급 강조 비교급+

than / crows.
than　　　B

→ After hatching은 시간을 나타내는 「접속사+분사구문」이다.

그들은 나를 필요로 한다 / ~보다 훨씬 더 많이 / 야구가 그러한 것(보다)

498
고13월
응용

They need me / **a lot more than** / baseball does.
　　A　　　　　비교급 강조 비교급+than　　B

→ does는 need me를 대신하는 대동사이다.

실제로, / 물질 단위당, / 뇌는 / 사용한다 / ~보다 훨씬 많은 에너지를 / 우리의 다른 기관들(보다)

499
고16월

Actually, / per unit of matter, / the brain / uses / **by far more energy than** /
　　　　　　　　　　　　　　　　A　　　비교급 강조　　비교급+than

our other organs.
　B

- 「the+비교급 ~, the+비교급 …」은 '~하면 할수록 더 …하다'라는 의미의 비교급 표현이다.
- 「비교급+and+비교급」은 '점점 더 …한/…하게'라는 의미의 비교급 표현이다.

		구문 노트 ✏
더 많은 새로운 정보를 / 우리가 받아들일수록 / 더 천천히 / 시간이 (흐른다고) 느껴진다		
500 고1 9월 응용	**The more** new information / we take in,/ **the slower** / time feels. the+비교급　　　　　　　　　the+비교급	
더 많은 사람들을 / 여러분이 알수록 / 다른 배경의 (사람들을) / 더 다채롭게 / 여러분의 삶이 ~된다		
501 고1 3월	**The more** people / you know / of different backgrounds, / **the more colorful** / the+비교급　　　　　　　　　　　　　　　the+비교급 your life becomes.	→ of different backgrounds는 people 을 수식하는 전치사구이다.
기대감이 더 높아질수록 / 더욱 어려운 / 만족감을 느끼기는 ~하다		
☆**502** 고1 6월 응용	**The higher** the expectations, / **the more difficult** / it is to be satisfied. the+비교급　　　　　　the+비교급	→ 뒤에 나오는 절의 it은 가주어이고, to be satisfied가 진주어이다.
대부분의 플라스틱은 / 분해된다 / 점점 더 작은 조각으로 / 자외선에 노출될 때		
503 고1 6월 응용	Most plastics / break down into / **smaller and smaller** pieces / when exposed 비교급+and+비교급 to ultraviolet (UV) light.	→ when exposed는 「접속사+수동 분 사구문」이다.

- 「the+최상급+(명사+)in/of+명사(구)」는 '…에서 가장 ~한 (명사)'라는 의미로 특정 범위에서 가장 정도 차이가 있는 하나를 나타내는 표현으로, in 뒤에는 단수명사, of 뒤에는 복수명사가 온다.
- much, by far, ever 등은 '월등히, 현저히, 압도적으로'라는 의미로 최상급을 강조하는 표현이다.

	구문 노트 ✏

대표 문장 1800년대 후반에, / 철도 회사들은 / ~이었다 / 가장 큰 기업들 / 미국에서

504
고1 9월
In the late 1800s, / the railroads / were / **the biggest companies** / **in the U.S.**
　　　　　　　　　　A　　　　　　　the+최상급+명사　　in+단수명사

→ 앞에 쓰인 in은 연도 앞에 쓰는 전치사이고, 뒤에 쓰인 in이 범위를 나타내는 전치사이다.

2013년과 2015년 둘 다 / '줄거리'의 비율은 / ~였다 / 가장 높은 / 네 가지 주요 요인들 중에서

☆**505**
고1 6월
In both 2013 and 2015, / the rates for "Storyline" / were / **the highest** / **of**
　　　　　　　　　　　　　　A　　　　　　　　　　　the+최상급

the four key factors.
　　of+복수명사

→ 최상급 뒤에 범위를 나타내는 「of+복수명사」가 쓰였다.

5개 국가들 중, / 미국이 / 획득하였다 / 가장 많은 메달을 / 약 120개로

506
고1 6월
Of the 5 countries, / the United States / won / **the most medals in total**, /
　of+복수명사　　　　　　　A　　　　　　　　　the+최상급+명사

about 120.

→ 문장 맨 앞에 범위를 나타내는 「of+복수명사」가 쓰였다.

모든 이웃들이 / 장담했다 / 그녀의 아버지에게 / 그녀가 / ~라고 / 가장 아름다운 소녀 / 독일에서

507
고1 3월
응용
All the neighbors / assured / her father [that she / was / **the most beautiful**
　　　　　　　　　　　　　　　　　　　　A　　　the+최상급+명사

girl / **in Germany**].
　　in+단수명사

→ 목적어로 쓰인 that절 내에 최상급 표현이 쓰였다.

- 「one of the+최상급+복수명사」는 '가장 ~한 … 중 하나'라는 의미의 최상급 표현으로, 주어 자리에 오면 단수 취급한다.

가장 필수적인 선택들 중 하나 / 어느 누구든 내릴 수 있는 / ~이다 / 우리의 시간을 어떻게 투자할지

508
고1 6월
One of the most essential decisions [any of us can make] is [how we invest
S(one of the+최상급+복수명사)　　　　　　　　　V(단수)

our time].

→ any of us 앞에 관계대명사 that [which]이 생략되었다.
→ how 이하는 보어로 쓰인 명사절이다.

너는 통달했다 / 가장 어려운 던지기 동작들 중 하나에 / 유도 전체에서

509
고1 9월
응용
You've mastered / **one of the most difficult throws** / **in all of judo.**
　　　　　　　one of the+최상급+복수명사　　　in+단수명사

→ 「have+p.p.」는 현재완료이다.

가구 선택은 / ~이다 / 가장 인지적으로 힘든 선택들 중 하나 / 소비자가 하는

510
고1 9월
Furniture selection / is / **one of the most cognitively demanding choices** [any
　　　　　　　　　　　　one of the+최상급+복수명사

consumer makes].

→ any consumer 앞에 관계대명사 that [which]이 생략되었다.

- 형용사/부사의 원급과 비교급을 이용하여 최상급의 의미를 나타낼 수 있다.
  - No (other) A ~ +as+원급+as B/Nothing ~ as[so]+원급+as: (다른) 어떤 A도 B만큼 ~하지 않다/아무것도 …만큼 ~하지 않다
  - No (other) A ~ +비교급+than B/Nothing ~ 비교급+than: (다른) 어떤 A도 B보다 ~하지 않다/아무것도 …보다 ~하지 않다
  - 비교급+than any other+단수명사, 비교급+than anything else: 다른 어떤 …보다도 더 ~한/~하게

		구문 노트 ✏
아무것도 ~ 않다 / 우리에게 더 중요한 / 우리 고객들의 만족보다		→ 비교급을 이용한 최상급 표현이 쓰였다.

511
고1 3월
Nothing is / **more important** to us / **than** the satisfaction of our customers.
Nothing   비교급   than

다른 어떤 나라도 수출하지 않았다 / 인도보다 더 많은 쌀을 / 2012년에

512
고1 3월
No other country exported / **more rice than** India / in 2012.
No ther   A   비교급+than   B

이동 거리가 / 관련되어 있다 / 더 직접적으로 / 방문 고객당 판매량에 / 측정 가능한 다른 어떤 소비자 변수보다

513
고1 3월
응용
Distance traveled / relates / **more directly** / to sales per entering customer
비교급

/ **than any other measurable consumer variable.**
than any other+단수명사

- 가정법 과거는 현재의 사실과 반대되는 상황을 가정할 때 사용하는 표현이다.
- 「If+S+V(과거) ~, S+조동사의 과거형+동사원형 …」으로 나타내고, '만약 ~라면, …할 텐데.'로 해석한다.

	구문 노트 ✏️

대표 문장 만약 당신이 동물원에 있다면, / 당신은 말할 것이다 / 당신이 동물 '가까이에' 있다고

514
If you were at a zoo, / **you might say** [you are 'near' an animal].

고1 6월 응용   If+S+V(과거)   S+조동사의 과거형+동사원형

→ 가정법 과거 if절의 be동사는 주어에 관계없이 were를 쓴다.

만약 기체들이 소모된다면, / 교환되는 대신에 / 생명체들은 죽을 것이다

515
If gases were used up / instead of being exchanged, / **living things would die**.

고1 3월   If+S+V(과거)   S+조동사의 과거형+동사원형

만약 우리가 행성에서 산다면, / 아무것도 변하지 않는 / 할 일이 거의 없을 것이다

516
If we lived on a planet [where nothing ever changed], / there **would be little**

고1 6월   If+S+V(과거)   조동사의 과거형+동사원형+S(도치)

to do.

→ where ~ changed는 a planet을 수식하는 관계부사절이다.

만약 당신이 그 그림을 여러 번 베낀다면, / 당신은 알게 될 것이다 / 매번 / 자신의 그림이 / 조금 더 나아지는

517
If you copied the picture many times, / **you would find** [that each time / your

고1 3월 응용   If+S+V(과거)   S+조동사의 과거형+동사원형

것을 / 조금 더 정확해지는 것을

drawing / would get a little better, / a little more accurate].

→ that 이하는 find의 목적어로 쓰인 명사절이다.

Carnegie는 / 말했다 / 그녀에게 / 만약 자신이 그들에게 편지를 쓰면, / 그는 즉각 답장을 받을 것이라고

518
Carnegie / told / her [that **if he wrote** them a letter, / **he would get** an

고1 3월 응용   if+S+V(과거)   S+조동사의 과거형+동사원형

immediate response].

→ 직접목적어로 쓰인 명사절에 가정법 과거가 사용되었다.

우리 아이들은 겁이 날 것이다 / 만약 그들이 들으면 / 그들이 되돌아가야 한다는 말을 / 조부모의 문화로

☆ **519**
Our children would be horrified / **if they were told** [they had to go back /

고1 3월   S+조동사의 과거형+동사원형   if+S+V(과거)

to the culture of their grandparents].

→ they ~ their grandparents는 목적어로 쓰인 명사절로, 앞에 that이 생략되었다.

그 여자는 / 넌지시 말했다 / 그는 기분이 나아질 것이라고 / 그가 뭔가를 먹으면

520
The woman / suggested [**he might feel** better / **if he had** something to eat].

고1 9월 응용   S+조동사의 과거형+동사원형   if+S+V(과거)

→ 목적어로 쓰인 명사절에 가정법 과거가 사용되었다.

- 가정법 과거완료는 과거의 사실과 반대되는 상황을 가정할 때 사용하는 표현이다.
- 「If+S+had p.p. ~, S+조동사의 과거형+have p.p. ….」로 나타내고, '만약 ~했다면, …했을 텐데.'로 해석한다.

	구문 노트 ✏
대표 문장 만약 그 수표가 동봉되었다면, / 그들은 그렇게 빨리 답장을 보냈을까?	
521 **If the check had been enclosed**, / **would they have responded** so quickly? 고1 3월 If+S+had p.p. 조동사의 과거형+S+have p.p. (의문문)	→ 의문문이므로 조동사와 주어의 위치 가 바뀌었다.
만약 건물을 빠져나오라는 결정이 / 내려지지 않았다면, / 그 팀 전체가 사망했을지도 모른다	
522 **If the decision** ⟨to get out of the building⟩ **hadn't been made**, / **the entire** 고1 6월 If+S+had p.p.	→ to부정사의 수식을 받아 if절의 주 어가 길어졌다.
team would have been killed. S+조동사의 과거형+have p.p.	
Ernest Hamwi가 그런 태도를 취했더라면 / 그가 zalabia를 팔고 있었을 때 / 페르시아의 아주 얇은 와플인 /	
523 **If Ernest Hamwi had taken** that attitude [when he was selling zalabia, / a 고1 3월 If+S+had p.p.	→ when ~ World's Fair는 시간의 부 사절이다.
1904년 세계 박람회에서 / 그는 생을 마감했을지도 모른다 / 노점 상인으로	→ a very thin Persian waffle은
very thin Persian waffle, / at the 1904 World's Fair], / **he might have ended** S+조동사의 과거형+have p.p.	zalabia를 보충 설명하는 삽입구이 다.
his days / as a street vendor.	

- I wish 가정법은 현재/과거의 이룰 수 없는 소망을 나타낼 때 사용한다.
- I wish 가정법 과거는 「I wish(ed)+S+V(과거) ~.」로 나타내고 '~하면 좋을/좋았을 텐데.'로 해석한다.
- I wish 가정법 과거완료는 「I wish(ed)+S+had p.p. ~.」로 나타내고 '~했으면 좋을/좋았을 텐데.'로 해석한다.

| 대표 문장 | 그녀는 / 속삭였다 / "이 가뭄이 끝난다면 좋을 텐데." | 구문 노트 ✏ |

524
고1 9월 응용

She / whispered, / "**I wish** [**the drought would end**]."

I wish S+V(과거: 조동사의 과거형+동사원형)

→ 소망 시점(wish)과 소망 내용

(~ would end)의 시점이 일치한다.

"나는 ~면 좋겠어 / 내 삶이 영화 속에서 그런 것과 같다(면)" / 나는 / 말했다 / 한숨을 쉬며

525
고1 6월

"**I wish** [**my life were** the way it is in movies]," / I / said / with a sigh.

I wish S+V(과거)

나는 바랄 뿐이다 / 무엇인가가 있기만을 / 내가 말하거나 해 줄 수 있는 / 당신의 상실의 아픔을 달래줄

526
고1 3월

I only **wish** [there **were something** ⟨I could say or do⟩ ⟨that would help ease

I wish there+V(과거)+S(도치)

the pain of your loss⟩].

→ 두 개의 관계대명사절이 something

을 수식하고 있다.

우리는 때때로 소망한다 / 우리가 무지하기를 / 어떤 것에 대해

☆ 527
고1 6월 응용

We sometimes **wish** [that **we were never informed** / about something].

S+wish S+V(과거)

→ 'We'가 주어로 쓰인 「S+wish」

가정법 문장이다.

→ were never informed는 「be+p.p.」

형태의 수동태이다.

- as if 가정법은 현재/과거의 사실과 반대되는 상황을 가정할 때 사용한다.
- as if 가정법 과거는 「S+V ~ +as if+S+V(과거) ~.」로 나타내고 '마치 ~인 것처럼 …한다/했다.'로 해석한다.
- as if 가정법 과거완료는 「S+V ~ +as if+S+had p.p. ~.」로 나타내고 '마치 ~였던 것처럼 …한다/했다.'로 해석한다.

		구문 노트 ✏️
대표 문장	너무도 많은 회사들이 / 광고한다 / 그들의 신제품들을 / 마치 그들의 경쟁자들이 존재하지 않는 것처럼	

528 Too many companies / advertise / their new products [**as if their competitors**
고1 6월   S   V(현재)   as if+S+V(과거)

did not exist].

당신은 / 배워야 한다 / 그 역을 / 마치 당신이 정말 주연을 맡은 것처럼

529 You / should learn / the role [**as if you did have** the lead].   → did는 동사를 강조하는 표현이다.
고1 3월   S   V(현재)   as if+S+V(과거)
응용

한 그룹의 사람들은 / 요청받았다 / 그 사건을 되살려 보도록 / 마치 그것이 다시 일어나고 있는 것처럼

530 People in one group / were told / to relive the event [**as if it were happening**   → were happening은 「be+v-ing」 형태
고1 6월   S   V(과거)   as if+S+V(과거)   의 진행형이다.
응용

again].

그가 스키를 발에 신자마자, / 그것은 / ~이다 / 마치 그가 걷는 것을 배워야만 하는 것과 같은 / 처음부터 다시

☆531 [As soon as he puts skis on his feet], / it / is [**as though he had to learn** to   → as soon as ~ his feet은 시간의 부
고1 9월   S V(현재)   as though+S+V(과거)   사절이다.
응용

walk / all over again].   → as though는 as if로 바꿔 쓸 수 있
                                                                                                다.

중학부터 수능까지 필수 어휘를 단계별로 마스터하는
바로 VOCA

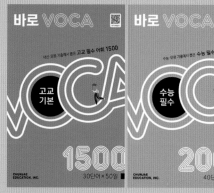

기출문장
완벽분석
가 이 드